CINCO SUTRAS

DEL

MAHĀYĀNA

EL BUDISMO MAHĀYĀNA
EN SUS TEXTOS MÁS ANTIGUOS

por

Fernando Tola y Carmen Dragonetti

PRIMORDIA

Florham Park, New Jersey

Primordia Media, Inc.
P.O. Box 54
Florham Park, New Jersey 07932

Copyright © 2002 Primordia Media, Inc.
First Edition, First Printing

Library of Congress Cataloging-in-Publication Data

Tripitaka. Sutrapitaka. Spanish Selections
  Cinco sutras del Mahayana : el Budismo Mahayana en sus textos
  más antiguos / por
  Fernando Tola y Carmen Dragonetti [compiladores]. --1st ed.
    p. cm.
  Includes bibliographical references and index.
  Contents: Prajnaparamitahridayasutra = El sutra de la esencia de la
  perfección de conocimiento -- Shalistambasutra = El sutra del
  Shalistamba -- Aryabhavasankrantinamamahayanasutra = El noble
  sutra del Mahayana denominado "La transmigración de la existencia"
  --Pa ta jen kiao king = El sutra de los ocho conocimientos de los
  grandes seres -- Sukhavativyuhasutra = El sutra de las maravillosas
  manifestaciones de la tierra de felicidad.
  ISBN 0-9716561-0-X
  1. Mahayana Buddhism--Sacred books. I. Title: 5 sutras del
  Mahayana. II. Tola, Fernando, 1915- III. Dragonetti, Carmen.
  IV. Title.

BQ1612.S7 T65 2002
294.3'85--dc21

                                                    2002038141

Para Roberto Oest,
Vice-Presidente de FIEB,
querido amigo y
excelente conocedor de la cultura japonesa

Presentación

Con un gran sentimiento de satisfacción cumplimos con el honroso encargo de hacer este *Prefacio* para el primer libro que sale hoy a la luz en esta Serie dedicada al Budismo de la Editorial *Primordia Media*.

El Budismo es una de las manifestaciones más importantes de la humanidad. Desde la India en que surge, según los datos cronológicos más aceptados, alrededor del año 500 antes de Cristo, el Budismo se difunde rápidamente por todo el ámbito del Asia, llegando a pueblos de las más diversas historias y culturas, que contrastaban en la mayor parte de los casos con la historia y la cultura de su patria de origen. Y esta difusión del Budismo se realizó en forma pacífica, sin guerras de conquista, sin conversiones forzadas, sin violencias, por la sola fuerza de sus ideas y de los sentimientos que ellas suscitaban, por la firmeza de la fe de sus monjes y por el modelo de vida que ellos ofrecían - haciéndose realidad en esta forma el ideal de no-violencia que el Budismo introdujera por primera vez en la historia de la humanidad. Bajo su forma Hīnayāna el Budismo se extiende primero a Ceilán y luego hacia el Sudeste Asiático: Birmania, Cambodia, Laos, Thailandia, Vietnam del Sur; bajo su forma Mahāyāna, se extiende hacia el norte: Asia Central, Tibet, China, Mongolia, Corea, Japón. Se inserta en esos pueblos y, desde ese momento, se convierte en un factor esencial en su evolución cultural, en un elemento de identidad común entre todos ellos. Y todos esos pueblos, enriquecidos por el aporte de nuevas ideas y de nuevos sentimientos que el Budismo les hace, le retribuyen con excelsas creaciones en los campos de la religión, de la filosofía, de la literatura, del arte. Una inmensa y poderosa cultura budista se extiende así sobre todo el Asia.

El éxito logrado por el Budismo en su propagación por todo el Asia en el curso de su extensa historia - propagación que en nuestros días se ve ampliada a nuevos continentes como Europa y América - no ha sido un hecho casual y gratuito, sino que se basa fundamentalmente en los valores intrínsecos que él posee, desde cualquier punto de vista que se le considere.

En lo que a la ética concierne, el Budismo adoptó una posición novedosa. Fue clara su voluntad de exaltar la moralidad, convirtiéndola en el criterio ineludible de la evaluación de todo acto o persona. Es así que el Budismo rechazó, aunque estuviesen dirigidos a los dioses, los sacrificios de seres vivos que se practicaban en la India porque al entrañar violencia y sufrimiento, eran considerados por él como actos reprobables, contrarios a la moral. Asimismo para el Budismo no es *brahmán* (o sea la persona que ocupa el más alto rango en la jerarquía hindú tradicional) aquel que nace en familia de brahmanes, sino aquel que, sea cual sea su casta, se distingue por sus supremas cualidades morales.

El ideal del hombre ético que elaboró el Budismo reúne rasgos que revelan, por parte de éste, nobles aspiraciones y un sutil conocimiento de las complejidades del comportamiento humano. Al lado de las cualidades comunes a toda ética se da primacía en él a cualidades que Occidente por lo general no ha considerado propias del dominio de la ética. Mencionamos entre éstas: la autoconciencia, o sea el hacer conscientes zonas inconscientes de uno mismo, el autocontrol, el estado de alerta y vigilancia, la concentración de la mente, la energía y el esfuerzo, la serenidad, la moderación, la paciencia, la satisfacción con lo que uno posee o hace, el desapego.

En lo que a la filosofía concierne, no es necesario que nos refiramos a las grandes escuelas filosóficas que surgieron en el seno del Budismo, como las del Hīnayāna que elaboraron la teoría de los *dharmas* o las del Mahāyāna que elaboraron las teorías de la Vaciedad y de Sólo-la-mente. Nos referiremos más bien a algunas de las concepciones fundamentales del Budismo, en que se manifiesta su riqueza y su profundidad.

El Budismo partió de la vivencia del sufrimiento. El sufrimiento es congénito a la naturaleza humana. El hombre es un ser que nace para morir. Todo lo que le atañe esta bajo el signo de una impermanencia fatal y dolorosa. Pero existe una salida, una vía de escape a ese destino, una forma de poner fin al sufrimiento. Esta salida nos la ofrece el Budismo con sus doctrinas salvíficas, fundadas en la disciplina moral y en el conocimiento de la verdadera naturaleza de las cosas. El valor concedido al conocimiento es característico del Budismo desde sus más lejanos orígenes. *Buda*, cuando llega a la Iluminación, en aquella noche memorable, en Bodh Gayā, al pie del árbol de la Bodhi, adquiere plena conciencia de la causalidad universal: "todo tiene una causa". Y, por eso mismo, todo es relativo y contingente. La conciencia de la relatividad universal crea en el Budismo una actitud de tolerancia, ajena a todo excluyente y arrogante dogmatismo: "nunca podrás ver al mismo tiempo todas las facetas de una cosa". La conciencia de la causalidad universal inculca en el budista el vívido sentimiento de la interdependencia de todos los seres y cosas, la interdependencia de todos los fenómenos. Nada existe aislado en sí, como una isla solitaria en el medio del océano de la existencia. Todo ser está relacionado, vinculado, ligado a otros seres, a otras cosas, a otros actos del pasado, del presente, del futuro. Surge así la necesidad de cultivar en uno un sentimiento de solidaridad para con todos y para con todo, sobre el cual se puede construir un sistema de relaciones individuales y sociales, liberadas de la incomprensión y de la agresividad. El grado supremo de esta solidaridad universal lo constituye la doctrina de que la condición de *Buda*, la Budidad, está al alcance de todos los seres: "todos seréis *Budas*". Shākyamuni, el *Buda* fundador del Budismo histórico, encontró el camino que lleva a la Budidad, y por compasión hacia todos los seres, por un sentimiento de solidaridad para con todos ellos, les enseñó ese camino, para no guardar para sí solo el logro supremo que alcanzara con largo y doloroso esfuerzo, y para que todos pudiesen llegar a la meta a que él mismo llegara. Y todos los seres podrán alcanzar la Budidad, podrán llegar a ser *Budas*, porque en todos ellos existe, aunque transitoriamente oculta, la gloriosa esencia de *Buda*. La Budidad, la forma más alta del ser, afincada en la Iluminación, la forma más alta de la conciencia, del conocimiento, de la inteligencia, no es patrimonio exclusivo de nadie, es patrimonio de todos los seres, igualados así en su auténtico ser y en su definitivo destino.

Es natural que el Budismo, factor relevante en la historia del Asia y herencia, que hace honor a la humanidad, de admirables logros intelectuales y artísticos, haya suscitado desde que empezó a ser conocido en Europa y América, un interés mayor y cada vez más intenso. Hoy existen en el mundo numerosas instituciones, numerosas revistas y numerosos investigadores, dedicados a su estudio y a la difusión de su conocimiento, así como de los valores que él propugna. Por otro lado el conocimiento del Budismo se va integrando en la cultura universal de la humanidad, dejando de ser una exclusividad de especialistas e investigadores y convirtiéndose en objeto de interés y admiración para la gente en general, y convirtiéndose también para muchos en un camino de perfeccionamiento espiritual que les permite desarrollar en su plenitud y para el bien la energía que anida desapercibida y desaprovechada en ellos, en una fuerza moral que los ayude a sobrellevar y superar los sinsabores e injusticias de la sociedad y de la vida, en una luz que guía sus pasos a través de las incertidumbres, desconciertos y tinieblas que envuelven la condición humana.

Esta Serie pretende contribuir a la difusión del conocimiento del Budismo en el vasto mundo de habla hispana. Difundir conocimiento y colaborar en la erradicación de la ignorancia - la raíz del mal según el Budismo - es siempre una noble tarea que merece ser llevada a cabo y promovida por personas que desean el bien. Además, la difusión de los nobles valores que cultiva el Budismo, como la no-violencia, la tolerancia, la armonía y la paz, los sentimientos de interdependencia y de solidaridad, puede ayudar en algo a aliviar las tensiones que hoy agobian a la humanidad y a reducir los males que originan los sentimientos y actitudes negativas, de los que aún no ha podido liberarse y que se interponen en su camino hacia una pacífica convivencia universal.

Fernando Tola y Carmen Dragonetti

Prefacio

Presentamos cinco *Sūtras* del Mahāyāna, que muestran cinco diferentes aspectos del Budismo, revelando la riqueza de pensamiento que lo caracteriza.

1. El primer *Sūtra* es el *Prajñā-pāramitā-hridaya-sūtra* (El Sūtra de la Esencia de la Perfección del Conocimiento). Es uno de los *Sūtras* más famosos del Mahāyāna, como se acredita por el gran número de traducciones a diversos idiomas, antiguos y contemporáneos, que de él se han hecho, y por el gran número también de comentarios que de él se han escrito. El *Hridaya-sūtra* expone en forma concisa y al mismo tiempo clara las principales tesis expuestas en los *Sūtras* de la Perfección del Conocimiento, que están ampliamente desarrolladas en los otros *Sūtras* de la Perfección del Conocimiento en 100.000, en 25.000, en 18.000, en 10.000, en 8.000, en 700 versos. Todas esas tesis se refieren a la *Shūnyatā* (Vaciedad) noción central de dichos *Sūtras* y de la Escuela de Nāgārjuna que los sistematiza y elabora. La teoría de la *Shūnyatā* afirma que todo lo que existe es condicionado, producto de una confluencia de numerosas causas y condiciones, que nada por tal razón posee un ser propio, nada existe *in se et per se*, y establece, como una consecuencia que deriva de ese hecho, el que todo tenga la existencia de una ilusión mágica, de un espejismo, de un sueño, de meras irrealidades.

Este texto introduce en el aspecto filosófico del Budismo y da una idea de la profundidad y audacia que lo distingue.

2. El segundo *Sūtra* es el *Shālistamba-sūtra*, *Sūtra* sumamente conocido. Este *Sūtra* también pertenece al ámbito filosófico del Budismo. Se ocupa de la causalidad tal como se manifiesta tanto en los procesos de la naturaleza como en los procesos del individuo. Explica cómo todo surgir a la existencia es un *Surgimiento Condicionado* en que intervienen múltiples causas y condiciones. Este *Sūtra* está estrechamente vinculado con el anterior ya que el ser condicionado equivale a ser *shūnya* (vacío), es decir carente de un ser propio tal como sostienen los Sūtras de la Perfección del Conocimiento. En el curso de su exposición el *Sūtra* determina el sentido de una serie de nociones que tienen que ver con la teoría de la causalidad; y además hace diversas observaciones respecto del mecanismo de la transmigración que complementan la exposición de ese tema que nos da el *Sūtra* siguiente en forma más detallada.

3. El tercer *Sūtra* sobre la "Transmigración de la Existencia" desarrolla una lúcida explicación de cómo tiene lugar la transmigración sin la existencia de una alma que transmigre de una vida a otra. Éste es un punto central del Budismo en general. Muchas veces se ha acusado al Budismo de incurrir en una incoherencia al sostener la posibilidad de un "viaje sin viajero". Este *Sūtra* en forma por demás convincente explica cómo puede tener lugar la transmigración sin un alma que transmigre, sin que nada pase de una existencia a otra. Para tal efecto recurre a la noción de "serie de (estados de) conciencias" o "corriente de (estados de) conciencias" que viene desarrollándose o fluyendo desde una eternidad sin comienzo y que continuará desarrollándose o fluyendo hasta que el sometimiento a la disciplina budista le ponga un fin. En esa serie o corriente eterna e ininterrumpida cada vida constituye un segmento, que tiene un principio y un fin, pero cuya desaparición no detiene a la serie de la cual forma parte.

4. El cuarto texto, *El Sūtra de los Ocho Conocimientos de los Grandes Seres* nos lleva al terreno de la moral. Expone los ocho conocimientos, las ocho cosas que el *Bodhisattva* debe conocer y tener siempre presente en su mente, si pretende avanzar en el camino del perfeccionamiento espiritual y llegar a la Suprema Perfecta Iluminación, meta suprema del Budismo. Este texto permite conocer la altura y universalidad del mensaje ético del Budismo y esboza en pocas líneas la noble personalidad del *Bodhisattva*, el ideal de hombre del Mahāyāna, que cultiva en sí las excelsas cualidades de la Compasión y el Conocimiento y no se libera del penoso *saṃsāra* (ciclo de reencarnaciones) mientras haya otros seres a quienes tiene que ayudar a llegar a la meta última de la salvación.

5. El último *Sūtra*, que tiene como tema la Tierra Pura de Sukhāvatī, Tierra de Felicidad, es de una inspiración totalmente diferente. Es un *Sūtra* del Budismo devocional que pone énfasis en la veneración al *Buda* Amitāyus (Vida Infinita) o Amitābha (Luz Infinita). El culto a este *Buda* unido a la acumulación de méritos ("raíces meritorias" dice el texto) garantiza el renacer en la Tierra Pura Sukhāvatī, magnífico paraíso, sede de maravillosas bellezas, en la cual sólo se conoce la felicidad.

Estos *Sūtras* nos hacen recorrer un amplio espectro doctrinario, filosófico, moral, religioso.

De estos *Sūtras* tres, el *Sūtra de la Esencia de la Perfección del Conocimiento*, el *Shālistambasūtra* y el *Sūtra de la Tierra Pura* han sido traducidos del sánscrito; uno, el *Sūtra de los Ocho Conocimientos* ha sido traducido del chino, y el *Sūtra de la Transmigración de la Existencia* ha sido traducido del tibetano. Tenemos así representantes de tres grandes tesoros de pensamiento con que el Budismo enriqueció a la humanidad, el Canon Sánscrito, el Canon Chino, el Canon Tibetano.

Con respecto a la pronunciación de las palabras sánscritas debe tenerse presente que la *c* se pronuncia *ch*, que la *j* se pronuncia como la *j* inglesa de *judge*.

Esperamos contribuir con estas traducciones a ampliar el conocimiento de quienes las lean y procurarles un momento de felicidad.

Buenos Aires
Octubre 2000

Fernando Tola y Carmen Dragonetti
Fundación Instituto de Estudios Budistas, FIEB, Argentina

PRAJÑĀPĀRAMITĀHRIDAYASŪTRA

EL SŪTRA DE LA ESENCIA DE LA
PERFECCIÓN DEL CONOCIMIENTO

traducido del original sánscrito

con Introducción y Notas

Introducción

El Sūtra de la Esencia de la Perfección del Conocimiento

El *Prajñāpāramitāhridayasūtra*, en sánscrito, *Sūtra de la Esencia de la Perfección del Conocimiento*, pertenece al grupo de los *Sūtras de la Prajñāpāramitā*, o "Perfección del Conocimiento", del Budismo Mahāyāna. La palabra *hridaya* que forma parte del título de este *Sūtra* literalmente significa "mente", "corazón" y por extensión "la parte central", "la esencia", "lo más valioso, querido o secreto de algo". Generalmente se denomina a este *Sūtra* "El Sūtra del corazón", pero preferimos traducirlo por "El *Sūtra* de la Esencia", por cuanto este título da una mejor idea de lo que es este *Sūtra*: un texto en que en forma sucinta se expone lo esencial de la doctrina enseñada por los *Sūtras de la Prajñāpāramitā* o *Sūtras de la Perfección del Conocimiento*.

Principales Sūtras de la Prajñāpāramitā o
"Perfección del Conocimiento"

Los *Sūtras de la Prajñāpāramitā* alcanzan el número de 38 y algunos de ellos son sumamente extensos. Sólo unos pocos se conservan en sánscrito; los otros nos han llegado en traducciones chinas y/o tibetanas. Probablemente el *Sūtra de la Perfección del Conocimiento en 8000 estrofas* fue el texto básico originario de estos *Sūtras*, compuesto en el curso del primer siglo antes de Cristo y primer siglo después de Cristo. Posteriormente se habrían compuesto otros *Sūtras* más extensos, que dieron mayor amplitud a la exposición de la doctrina del texto básico originario, sin que sea posible establecer entre ellos un estricto orden cronológico: son los *Sūtras de la Perfección del Conocimiento* en 100.000, en 25.000, en 18.000, en 10.000 estrofas. A éstos les habrían seguido otros que hicieron la exposición de la misma Doctrina en forma más sintética: son los *Sūtras de la Perfección del Conocimiento* en 2.500, en 700, en 300 estrofas, en 25 y en 14 (correspondiendo estas dos últimas a las dos recensiones, la larga y la breve, del *Sūtra de la Esencia*).[1] Las fechas de composición de los *Sūtras* que siguieron al texto básico originario se ubican en el curso de los siglos primero a sexto después de Cristo.

Doctrinas de los Sūtras de la Perfección del Conocimiento

Los *Sūtras de la Perfección del Conocimiento* contienen una serie de doctrinas de carácter filosófico. La escuela *Madhyamaka*, fundada por Nāgārjuna en el siglo II d.C. y una de las escuelas filosóficas budistas más importantes, tomará estas doctrinas, las sistematizará, las elaborará, las desarrollará y las fundamentará; y ellas constituirán el núcleo teórico fundamental de dicha escuela.[2] La mayor parte de las enseñanzas de la escuela *Madhyamaka* está ya expuesta en los *Sūtras de la Perfección del Conocimiento*. La importancia de estos *Sūtras* deriva así no sólo del valor intrínseco, que su originalidad y su profundidad conceden a esas doctrinas, sino también del hecho de que ellos constituyen las fuentes canónicas de la escuela *Madhyamaka*, que tan gran influencia tendría en el pensamiento filosófico, que gozaría de tanta vigencia en toda la comunidad budista en el curso de su historia, y que suscitaría en Occidente tan marcado interés.

La doctrina central de los *Sūtras de la Perfección del Conocimiento* es aquella de la Vaciedad (*shūnyatā*): todo lo que forma parte de la realidad empírica es "vacío" (*shūnya*), es decir, producto de una multiplicidad de causas, condicionado, relativo, contingente, carente de ser propio, insustancial, y por consiguiente irreal, mera apariencia, mera ilusión, de la misma naturaleza que un sueño, una creación mágica, un espejismo. La realidad empírica (*saṃvritisatya*) envuelve u oculta a la verdadera realidad (*paramārthasatya*). La verdadera realidad está al margen de la razón y de la palabra humana; no puede ser ni pensada ni expresada. Es completamente diferente de la realidad empírica; no se le puede atribuir ninguna característica, ningún atributo o cualidad propios de esta última. La existencia de estas dos realidades tiene como contraparte la existencia de las dos verdades, una relativa y otra absoluta. La *Prajñāpāramitā* o *Perfección del Conocimiento* consiste en la captación de la verdadera naturaleza de la realidad empírica y en la intuición de la realidad verdadera, en el curso de la meditación y de la práctica de la concentración mental. Toda la disciplina moral e intelectual budista tiene como meta capacitar al hombre para llegar a posesionarse de ese conocimiento, logro sumo del esfuerzo humano, y garantía de la definitiva liberación de la cadena de las reencarnaciones y de la obtención del *Nirvāṇa*.

Fecha de los Sūtras de los Prajñāpāramitā

Debemos colocar la composición de los *Sūtras* de la *Prajñāpāramitā*, como ya dijimos, entre los años 100 a.C. y 600 d.C. Las traducciones chinas existentes nos permiten fijar el *terminus ante quem* de muchos de ellos.

Importancia y difusión del Prajñāpāramitāhridayasūtra.
El Sūtra de la Esencia de la Perfección del Conocimiento

Este *Sūtra* es el más breve de los *Sūtras* de la *Prajñāpāramitā*. Es una concisa exposición de la doctrina central de aquellos *Sūtras*, la doctrina de la Vaciedad e insustancialidad de todo.

Este *Sūtra* ha gozado siempre de un gran prestigio en las regiones por donde se propagó el Budismo Mahāyāna. Es frecuentemente recitado en la actualidad en los monasterios budistas. Este *Sūtra* junto con el *Vajracchedikā* (El *Sūtra* Cortador del Diamante) han sido considerados como los *Sūtras* "más sagrados" del Budismo durante treinta siglos por sucesivas generaciones de budistas en todo el mundo budista. Además de la importancia que tiene como documento religioso de primer orden, el *Hridaya* es de un enorme interés filosófico.

Existen ocho antiguas traducciones de este *Sūtra* del sánscrito al chino, designadas con los números 250, 251, 252, 253, 254, 255, 256 y 257 en la edición japonesa del Canon Budista Chino denominada *Taishō Shinshū Daizōkyō* y realizadas respectivamente por Kumārajīva, Hsüan Tsang, Dharmachandra (?), Prajñā, Prajñāchakra, Fa-Ch'êng, un autor anónimo y Dānapāla (?); una traducción del sánscrito al tibetano; y otra del sánscrito al sogdiano (idioma empleado antes en el Asia Central) y también una traducción del tibetano al mogol. En época moderna ha sido traducido numerosísimas veces al japonés y a idiomas occidentales como el inglés, el francés, el español, etc.

Este *Sūtra* ha sido comentado con frecuencia por antiguos y modernos Maestros chinos, tibetanos, japoneses.

Se ha conservado el texto original sánscrito del *Prajñāpāramitā-hridayasūtra*. De él nos han llegado, como ya hemos dicho, dos recensiones, una extensa y otra breve. Esta última es sólo una versión abreviada de la extensa y es la que hemos utilizado para la traducción que ofrecemos en este libro, realizada sobre el texto de la edición crítica de E. Conze, "The Prajñāpāramitā-hṛdayasūtra", en *Thirty Years of Buddhist Studies*. En algunos casos hemos preferido adoptar una variante por él señalada en nota.

Traducción

SŪTRA DE LA ESENCIA DE LA
PERFECCION DEL CONOCIMIENTO

Homenaje al Omnisciente

El Noble *Bodhisattva* [3] Avalokiteshvara,[4] dedicado a la profunda Perfección del Conocimiento,[5] reflexionaba: "Existen cinco *skandhas*",[6] y los veía vacíos (*shūnya*) de ser propio (*svabhāva*).[7]

Oh Shāriputra,[8] en este mundo la forma (*rūpa*)[9] es Vaciedad (*shūnyatā*), la Vaciedad es forma. La Vaciedad no existe separadamente de la forma, la forma no existe separadamente de la Vaciedad.[10] Lo que es forma, eso es Vaciedad; lo que es Vaciedad, eso es forma.[11] Lo mismo (ha de decirse con referencia a) la sensación (*vedanā*), la percepción (*saṃjñā*), la volición (*saṃskāra*), la conciencia (*vijñāna*).[12]

En este mundo, oh Shāriputra, todos los *dharmas*[13] tienen como característica esencial la Vaciedad; no surgen, no desaparecen;[14] son sin impureza, no sin impureza; no deficientes, no completos.[15] Por esta razón, oh Shāriputra, en la Vaciedad[16] no existe la forma, ni la sensación ni la percepción ni las voliciones ni las conciencias; ni ojo, oído, nariz, lengua, cuerpo, mente (*manas*); ni forma, sonido, olor, sabor, lo tangible, *dharmas*;[17] ni *dhātu*-ojo[18] hasta[19] *dhātu*-mente; ni conocimiento (*vidyā*)[20] ni ignorancia (*avidyā*) ni destrucción del conocimiento ni destrucción de la ignorancia hasta ni la vejez y la muerte ni destrucción de la vejez y la muerte;[21] ni el sufrimiento ni su origen ni su cesación ni el camino;[22] ni el conocimiento ni la obtención.[23]

Por esta razón, oh Shāriputra, acogiéndose a la Perfección del Conocimiento, el *Bodhisattva* [24] vive con la mente libre de obstáculos.[25] En razón de no existir obstáculos en su mente, él no siente temor, ha superado el error, tiene al *Nirvāna* como meta final.[26]

Todos los *Budas* del pasado, del presente y del futuro,[27] acogiéndose a la Perfección del Conocimiento, alcanzan la Suprema Perfecta Iluminación.[28]

Por esta razón ha de conocerse el gran *mantra*[29] de la Perfección del Conocimiento, el *mantra* de la Gran Sabiduría, el *mantra* supremo, el *mantra* igual a lo incomparable,[30] que aquieta todo sufrimiento, la verdad por no ser falso, el *mantra* proclamado en la Perfección del Conocimiento. Dice así: OM GATE GATE PĀRAGATE PĀRASAM-GATE BODHI SVĀHĀ.[31]

NOTAS

1   Las obras de T. Matsumoto, *Die Prajñāpāramitā-Literatur*, y de E. Conze, *The Prajñāpāramitā literature*, y *Selected Sayings from the Perfection of Wisdom*, Introductión, proporcionan una amplia información sobre los *Sūtras de la Prajñāpāramitā*.

2   Sobre las doctrinas de la escuela *Madhyamaka* ver estudios y textos en F. Tola y C. Dragonetti, *Nihilismo Budista*. Para más información sobre el tema de la Vaciedad ver en este mismo libro la Introducción del *Bhavasaṅkrāntisūtra* y la nota 12 de ese *Sūtra*.

3   Ser que aspira a la Iluminación, que aspira a ser un *Buda*.

4   *Bodhisattva* importante.

5   El Conocimiento supremo, aquel de la Vaciedad, realidad última de todo.

6   Los *skandhas* son las cinco clases de *dharmas* (o factores de existencia) cuya reunión da origen a un hombre. Ellos son: la sensación, la percepción, la volición, la conciencia y la forma (equivalente en este caso al componente corporal). El texto enumera más adelante los *skandhas* para declararlos "vacíos".

7   Sustancialidad, existencia en sí y por sí.

8   Discípulo importante de *Buda*. Avalokiteshvara se dirige a él en este párrafo y en el siguiente.

9   *Rūpa* es propiamente la apariencia externa (forma, color) bajo la cual las cosas se presentan ante la vista. También por extensión designa a la materia y, tratándose del hombre, su cuerpo.

10   La Vaciedad es la naturaleza auténtica de las cosas y como tal no existe como algo separado y diferente de ellas.

11   La forma (materia) es sólo la Vaciedad erróneamente captada. Cuando el hombre alcanza la Iluminación y llega a la verdad absoluta, deja de percibir la forma y sólo percibe la Vaciedad, verdadera naturaleza de todo.

12   Lo expresado en la frase anterior con relación a la forma debe ser también aplicado a los otros *skandhas*.

13   Elementos constitutivos de la realidad empírica. La palabra *dharma* tiene múltiples sentidos: Doctrina (especialmente la Budista), elemento de lo existente, objeto del conocimiento mental, etc.

14   Siendo los *dharmas* insustanciales y por consiguiente *irreales*, no pueden tener ni surgimiento ni desaparición *reales*.

15   Se utiliza la yuxtaposición de contrarios para describir a los *dharmas*, cuya verdadera naturaleza escapa al conocimiento humano y está al margen de nuestra realidad empírica..

16   En la realidad verdadera, que está al margen de todo lo que constituye la realidad empírica en que existimos.

17   El término *dharma* designa en este caso a los objetos del sentido mente, como las ideas, etc. Recordemos que para la psicología india existen seis sentidos, ya que se incluye a la mente como sexto sentido.

18   Los *dhātus*, como los *skandas*, son *dharmas* en su sentido de elementos o factores constitutivos de la existencia, agrupados con miras a explicar la constitución del individuo. El término *dhātu*, como *skandha*, es un término técnico budista de valor colectivo, que designa a determinados *dharmas*: además de los seis sentidos (vista, oído, olfato, gusto, tacto y mente) y sus seis objetos (forma, sonido, olor, sabor, lo tangible y los *dharmas*) designa también las seis clases de conciencia (o conocimiento) correspondientes, que surgen cuando el sentido entra en contacto con sus respectivos objetos, de modo que resultan seis categorías de tríadas: el *dhātu*-ojo, el *dhātu*-forma, el *dhātu*-conciencia del ojo, etc. De todos los *dhātus* el texto sólo menciona el primero (ojo) y el último (mente), sobreentendiéndose a los demás.

19   El término "hasta" indica que debe completarse la frase con todos los elementos enumerados en las fórmulas canónicas tradicionales.

20   De las verdades del Budismo, de la realidad verdadera.

21   Tenemos aquí la negación del *Pratītyasamutpāda* o Surgimiento Condicionado. Los *dharmas* que lo conforman son: 1. la ignorancia, 2. los residuos kármicos, 3. la conciencia, 4. la individualidad, 5. los seis dominios (es decir los seis sentidos y sus respectivos objetos), 6. el contacto (de los sentidos con sus correspondientes objetos), 7. la sensación, 8. el deseo, 9. el apego, 10. la existencia, 11. el nacimiento y 12. la vejez y la muerte, con todos los dolores y sufrimientos que comportan. El *Prajñāpāramitāhridayasūtra* sólo menciona el primero de esos *dharmas* (la ignorancia) y el último (vejez-muerte). El texto en esta enumeración está negando el *Pratītyasamutpāda* no sólo en su orden natural (*anuloma*), que expresa que con la existencia de uno de los factores de la fórmula se produce la existencia del siguiente y así sucesivamente, sino también en su orden contrario (*pratiloma*), que expresa que con la destrucción o cesación de uno de los factores, se produce la destrucción o cesación del siguiente y así sucesivamente.

22   El sufrimiento, su origen, su cesación y el camino que lleva a su cesación constituyen las Cuatro Nobles Verdades enseñadas por *Buda*. Ver C. Dragonetti, *Dhammapada. El Camino del Dharma*, pp.47-48.

23   Obtención del *Nirvāṇa*, la meta suprema, el *summum bonum*, consistente en poner término a las reencarnaciones, es decir a la existencia. Por no participar en nada de las categorías y características propias de este mundo, por ser lo completamente heterogéneo y distinto, puede ser calificado de Absoluto, pero debiéndose excluir de la noción de *Nirvāṇa* too elemento deificante o sacralizante. No puede tampoco ser considerado como una sede o estado de felicidad.

24   Algunos manuscritos sánscritos, en lugar de *bodhisattvo* (que hemos traducido: el *Bodhisattva*) tienen *bodhisattvasya* (*del Bodhisattva*). Con esta última variante la traducción sería: "Acogiéndose al Perfección del Conocimiento del *Bodhisattva*, uno vive con la mente libre de obstáculos. En razón de no existir obstáculos en su mente, uno no siente temor, ha superado el error, tiene al *Nirvāṇa* como meta final".

25   Pasiones, odios y confusión mental con respecto a la verdadera naturaleza del mundo.

26   Ver nota 23.

27   Aquí el término "*Buda*" (en sánscrito *buddha*) designa no al fundador histórico del Budismo, sino en general a todo aquel que ha llegado a la Iluminación (*Bodhi*).

28   En el texto *bodhi*, literalmente "despertamiento", "despertar" (francés "eveil", inglés "awakening"). El ser, dormido en el error, se despierta al conocimiento de la veradera realidad de todo: la Vaciedad. El despertar, la Iluminación convierte al ser que la ha alcanzado en un *Buda*, en un *Tathāgata*. Como tal obtiene un Mundo de *Buda* donde pasa a existir por millones y millones de años, predicando la Doctrina a otros seres y guiándolos hacia la Iluminación. Después de esa existencia quasi-eterna en su Mundo, el *Buda* ingresa en el *Nirvāṇa*, la dichosa extinción total.

29   Fórmula a la cual se atribuyen efectos sobrenaturales. Este párrafo no condice con los párrafos anteriores de inspiración

estrictamente doctrinaria y además presenta al *Sūtra de la Esencia* como un *mantra*; pensamos que es un aditamento posterior.

30   El *Nirvāṇa*. También podríamos decir: igual al incomparable, es decir a *Buda*.

31   Posible traducción de este *mantra*: "*¡OM! ¡Oh Iluminación, ida, ida, ida a la otra orilla, llegada a la otra orilla, homenaje a ti!*". La expresión "la otra orilla" designaría al *Nirvāṇa*.

BIBLIOGRAFÍA

Conze, E., "The Prajñāpāramitahridaya Sūtra", en E.Conze, *Thirty Years of Buddhist Studies, Selected Essays*, London: Bruno Cassirer, 1967.

Conze, E., *The Prajñāpāramitā Literature*, Tokyo: The Reiyukai, 1978.

Conze, E., *Select Sayings from the Perfection of Wisdom*, Boulder (USA): Prajñā Press, 1978.

Dragonetti, C., "Tres aspectos del Budismo: Hīnayāna, Mahāyāna, Ekayāna", en *Revista de Estudios Budistas*, REB, N° 1, México-Buenos Aires, 1991, pp.13-44.

Dragonetti, C., *Dhammapada. La esencia de la sabiduría budista*, Buenos Aires: Sudamericana, 1995.

Lopez Jr., D.S., *The Heart Sūtra explained*, Albany: State University of New York Press, 1988.

Matsumoto, T., *Die Prajñāpāramitā-Literatur*, Stuttgart: H. Kohlhammer, 1932.

Max Müller, F., *Buddhist Texts from Japan*, New York: AMS Press, 1976.

Tola, F. y Dragonetti, C., *Budismo Mahāyāna*, Buenos Aires: Kier, 1980.

Tola, F. y Dragonetti, C., *Nihilismo Budista*, México: Premiá Editora, 1990.

Tola, F. y Dragonetti, C., "Prajñāpāramitāhridayasūtra. Sūtra de la Esencia de la Perfección del Conocimiento", en *Revista de Estudios Budistas*, REB, N° 1, México-Buenos Aires, Abril, 1991, pp.163-170.

Tola, F. y Dragonetti, C., *On Voidness. A Study on Buddhist Nihilism*, Delhi: Motilal Banarsidass, 1995. Versión revisada de *Nihilismo Budista*, que incluye además los textos originales.

SHĀLISTAMBASŪTRA

EL SŪTRA DEL SHĀLISTAMBA

traducido del original sánscrito

con Introducción y Notas

Introducción

Importancia del Shālistambasūtra

El *Shālistambasūtra* fue un *Sūtra* sumamente apreciado a juzgar por el número de traducciones que se conservan de él: una al tibetano (*Tōhoku* 210, *Catalogue* 876) realizada por autor desconocido, y cinco al chino, *Taishō* 708, 709, 710, 711 y 712, realizadas respectivamente por Tche K'ien (primera mitad del s.III d.c.), un autor anónimo (entre 317 y 420), Amoghavajra (705-774), Dānapāla (?) (982-?) y un autor anónimo. Cf. *Hōbōgirin*, *Répertoire*, p.70. Se ve por las fechas consignadas que el *Shālistambasūtra* fue uno de los primeros textos budistas traducidos del sánscrito al chino y tal circunstancia es de por sí un testimonio de la importancia que tuvo ese texto en el mundo budista.

El aprecio de que gozó el *Shālistambasūtra* es también evidenciado por las frecuentes citas que de él hicieron autores importantes de la filosofía budista, como Candrakīrti (*Prasannapadā*), Prajñākaramati (*Pañjikā*), Shāntideva (*Shikshāsamucchaya*) y Yashomitra (*Abhidarmakoshavyākhyā*), los cuales transcribieron en sus obras extensos pasajes del mismo.

El *Shālistambasūtra* es también citado por autores hinduistas importantes, como Vācaspatimishra en su comentario *Bhāmatī* de los *Vedāntasūtras* y Mādhava, en el capítulo relativo a la doctrina de *Buda* en su *Sarvadarshanasaṃgraha*, los cuales conocieron sobre todo la doctrina del *pratītyasamutpāda* o "Surgimiento Condicionado" a través de sus enseñanzas.

El texto del Shālistambasūtra

El texto original sánscrito del *Shālistambasūtra* se ha perdido, pero la confrontación de los pasajes citados por otros autores en otros textos sánscritos con las traducciones chinas y la traducción tibetana, antes citadas, permite concluir que en esas citas se ha conservado en su totalidad el texto sánscrito con excepción de unas pocas frases y palabras. J.D. Schoening señala, *The Śālistamba Sūtra* I, p.6, que las citas del *Shālistambasūtra* corresponden aproximadamente a un 90 % del texto original del *Sūtra*. L. de la Vallée Poussin, *Théorie des douze causes* (1913), pp.69-90, reunió esas citas y retradujo del tibetano al sánscrito las frases y palabras que faltaban. Años después N. Aiyaswami Sastri, *Ārya-S'ālistambasūtra* (1950), que no conocía el trabajo de L. de la Vallée Poussin, reconstruyó de la misma manera el texto del *Shālistambasūtra*, reuniendo las diversas citas y retraduciendo del tibetano al sánscrito frases y palabras que no se habían conservado en las citas. Las divergencias entre ambas reconstrucciones son pequeñas. La edición de L. de la Vallée Poussin es filológicamente más cuidada y mejor presentada que la de N. Aiyaswami Sastri, señalando con esmero el origen y extensión de las diversas citas con que se reconstruyó el texto original y las lagunas que se llenaron con retraducciones del tibetano al sánscrito. P.L. Vaidya, *Mahāyāna-sūtra-saṃgraha*, I (1961), reeditó el texto de N. Aiyaswami Sastri, pero suprimiendo las indicaciones referentes a la procedencia de las citas y a las reconstrucciones a partir del tibetano.

V.V. Gokhale, durante su estadía en Nepal (1948-1950), encontró un manuscrito conteniendo una obra en sánscrito que él denominó *Madhyamaka-Shālistambasūtram*. Ha sido editado por P.L. Vaidya en su *Mahāyāna-sūtra-saṃgraha* I, pp.108-116, ya mencionado. Parte de esta obra corresponde al texto editado por N. Aiyaswami Sastri (línea 1 de la p.4 a línea 1 de la p.19) y por de la Vallée Poussin (p.73 a p.85), con algunas lagunas (o sea desde el párrafo que en nuestra traducción hemos denominado *¿Por qué es llamado "Surgimiento Condicionado"?* hasta el párrafo que hemos denominado *Características del Surgimiento Condicionado y efectos de su conocimiento* incluido también pero en forma incompleta). El texto encontrado por Gokkale contiene pues todos los párrafos relativos al *pratītyasamutpāda* propiamente dicho. A dichos párrafos el autor agregó una estrofa introductoria dedicada a las *Mūlamdhyamakakārikās* de Nāgārjuna y una parte final que contiene un comentario a la estrofa 1 de esta obra de Nāgārjuna, estableciendo una estrecha vinculación de este *Sūtra* con la escuela de Nāgārjuna.

J.D. Schoening, en su excelente tesis doctoral, *The "Salistambasūtra" and its Indian commentaries* (1991), publicada luego en 1995 en Viena, editó el texto de la traducción tibetana del *Shālistambasūtra* y del comentario de Kamalashīla; y, en Apéndice, pp.1081-1118, incluyó las citas en sánscrito del *Sūtra*.

N. Ross Reat publicó el texto tibetano del *Shālistambasūtra* y las citas en sánscrito del mismo: *The Sālistamba Sūtra*, Delhi: Motilal Banarsidass, 1998.

Contenido doctrinario del Shālistambasūtra

El *Shālistambasūtra* es un diálogo entre el *Bodhisattva* Maitreya y Shāriputra, el discípulo de *Buda*. Su tema es el *pratītyasamutpāda* o Surgimiento Condicionado, doctrina básica del Budismo. Originariamente, en el Budismo Primitivo, el *pratītyasamutpāda* era simplemente una fórmula por lo general de 12 miembros cuyo encadenamiento causal explicaba el origen del nacimiento y de los sufrimientos inherentes al destino humano. Posteriormente, en especial en el Budismo Mahāyāna, el término *pratītyasamutpāda* pasó a designar sobre todo la condicionalidad que caracteriza a toda la realidad empírica. La cadena de los 12 miembros es sólo un caso o ejemplo de esa condicionalidad.

En los primeros párrafos (sección 2 de nuestra traducción) del presente *Sūtra* el término *pratītyasamutpāda* señala la cadena causal de 12 miembros, explicativa del nacimiento y del dolor, pero luego en los párrafos siguientes (secciones 9-14) amplía el ámbito de su significado pasando a indicar los diversos tipos de relación causal que se dan en la realidad y explican el surgimiento de las múltiples manifestaciones de esta última. El *Sūtra* (sección 8) señala que *la causalidad* puede ser de dos tipos: *relación causal* (propiamente dicha) y *relación condicional*, pudiendo cada una de éstas ser a su vez *externa* o *relativa al individuo*. El texto indica como casos de *relación causal externa* el surgimiento del fruto a partir de la semilla (sección 9) y de *relación condicional externa* el surgimiento de la semilla cuando se da el conjunto de las condiciones determinantes necesarias para ello que el texto enumera (secciones 10-11); y como casos de *relación causal relativa al individuo* el surgimiento de la vejez y de la muerte a partir de la ignorancia (sección 13) y de *relación condicional relativa al individuo* el surgimiento del cuerpo y la constitución de un individuo (sección 14), de la individualidad (sección 20) y del conocimiento visual (sección 21) cuando se da el conjunto de las condiciones determinantes necesarias en cada uno de esos casos que el texto enumera.

El texto describe mediante calificativos negativos y contradictorios entre sí al *pratītyasamutpāda* (secciones 5, 11, 19, 20, 23, 24), a los elementos (tierra, agua, fuego, viento, espacio y conciencia) (sección 15) y a los *dharmas* (factores de existencia) (sección 20). Entre las características que les atribuye cabe destacar los calificativos de "semejantes al espacio" (es decir "vacíos") y "teniendo su naturaleza propia la característica de la ilusión", utilizados con respecto a los *dharmas* (sección 20) y de "vacío" utilizado con respecto al *pratītyasamutpāda* (sección 24).

La doctrina de la transmigración que este *Sūtra* expone en sus últimos párrafos (secciones 22-24) es la misma que la que aparece en el *Bhavasankrāntisūtra* incluido en este mismo libro. Ambos *Sūtras* mutuamente se complementan y se aclaran con relación al mencionado tema. Véase la Introducción del siguiente *Sūtra*. La doctrina expuesta por el *Shālistambasūtra* es la doctrina ortodoxa aceptada por todas las sectas del Budismo, con excepción de la de los *Vātsīputrīyas*.

Sobre la doctrina del Surgimiento Condicionado ver los detallados estudios de P. Oltremare, *La Formule Bouddhique des douze causes*, L. de la Vallée Poussin, *Bouddhisme, Études et Matériaux, Théorie des douze causes*, H. Oldenberg, *Buddha*, pp.251-290 (existen traducciones a otros idiomas de esta obra. Ver Bibliografía), David J. Kalupahana, *Causality: The Central Philosophy of Buddhism*, Nyanatiloka Mahathera, *The Significance of Dependent Origination in Theravada Buddhism*, J. Takasaki, *An Introduction to Buddhism*, pp.149-162.

Ubicación del Shālistambasūtra dentro de la literatura budista

La concepción del *pratītyasamutpāda* no simplemente como la cadena causal explicativa del surgimiento de la vejez y de la muerte sino fundamentalmente como designación de la causalidad en sí, las formas descriptivas utilizadas en relación al *pratītyasamutpāda*, a los elementos y a los *dharmas* y algunos de los calificativos que se les aplican, creemos, alejan a este *Sūtra* de las posiciones hīnayānistas y autorizan a considerarlo ya como uno de los *Sūtras* del Mahāyāna.

Confirman esta conclusión la gran predilección que sintieron por este *Sūtra* autores del Mahāyāna, a cuyas citas debemos su conservación, también el hecho de que la traducción tibetana y tres de las traducciones chinas conservadas denominan a este *Sūtra* como "*Sūtra* del Mahāyāna",[1] y finalmente el hecho de que el manuscrito encontrado por Gokhale agrega el término *Madhyamaka* al título del tratado (*Śalistamba*), una estrofa introductoria a la principal obra de Nāgārjuna en el inicio y un comentario de la primera estrofa de Nāgārjuna en la parte final.

Indudablemente que no hay nada en él que no condiga con las doctrinas *mādhyamikas* y, además, contiene muchas ideas a las cuales los *mādhyamikas* no podían dejar de dar su aprobación, en especial la calificación de "vacíos" a que el *Sūtra* recurre varias veces con relación al *pratītyasamutpāda* y a los *dharmas*. El hecho de que la teoría del *pratītyasamutpāda* sea el tema central de este *Sūtra* no constituye un obstáculo para la aproximación doctrinaria de este *Sūtra* a las teorías de la escuela *Madhyamaka*, antes bien ese hecho contribuirá sin duda a atraer la predilección de los autores del *Madhyamaka* por él. En la escuela *Madhyamaka* el *pratītyasamutpāda*, en cuanto designación de la causalidad, es, en efecto, el punto de partida, la fundamentación de la doctrina de la ausencia de sustancia en la realidad empírica, la ley que rige todas las manifestaciones de esa realidad; y el *pratītyasamutpāda* es equiparado a la *shūnyatā*, la "vaciedad", la realidad verdadera.

Cronológicamente, dentro de los *Sūtras* mahāyānistas, este *Sūtra* se ubicaría entre los primeros *Sūtras* teniendo en cuenta que la antigüedad de las traducciones chinas se remonta a la primera mitad del siglo III d.C., lo que obliga a colocar el original sánscrito traducido un buen número de años antes.

Además, el *Shālistambasūtra* ocuparía un lugar entre los *Sūtras* del Budismo Mahāyāna llamados independientes.

Las razones antes expuestas que llevan a considerar al *Shālistambasūtra* un *Sūtra* del Mahāyāna nos hacen difícil comprender cuál es el motivo por el cual L. de la Vallée Poussin, *ob. cit.*, p. 69, afirma que "no se encuentra nada en él que sea del Gran Vehículo".

El presente trabajo

En el presente trabajo ofrecemos la traducción del texto sánscrito *Shālistambasūtra*, realizada sobre la edición del texto sánscrito reconstruido de N. Aiyaswami Sastri ya mencionada en la sección *El texto del Shālistambasūtra*. No hemos indicado la procedencia de los diferentes párrafos del *Sūtra*. Para tal efecto remitimos en especial a la obra de L. de la Vallée Poussin señalada en dicha sección de esta Introducción, también a la de N. Aiyaswami Sastri y a la de Schoening. Las indicaciones de página entre paréntesis, en el interior de la traducción, remiten a las páginas de la edición de Sastri. Los números de los párrafos así como los subtítulos incluidos en la traducción han sido agregados por nosotros para facilidad del lector.

Otras traducciones

Esta traducción del sánscrito al castellano del *Shālistambasūtra* que hoy ofrecemos es la versión revisada de aquella publicada en 1980 por F. Tola y C. Dragonetti en *El Budismo Mahāyāna. Estudios y Textos.* Dicha traducción del sánscrito al castellano fue la primera traducción en lengua moderna occidental de este importante *Sūtra*.

En 1983 R. Gnoli, publicó una traducción de este *Sūtra* al italiano en *Testi Buddhisti (in Sanscrito)*, Torino, Unione Tipografico-Editrice-Torinese.

En 1991 J.M. Cooper lo tradujo al inglés en *Buddhist Studies Review* (London), Vol.VIII, Nos.1-2, pp.21-58.

Señalemos que en 1991 J.D. Schoening, en su obra ya citada, tradujo la versión tibetana del *Shālistambasūtra* al inglés.

N. Ross Reat en 1998 tradujo el *Shālistambasūtra* al inglés a partir del sánscrito, Delhi: Motilal Banarsidass.

Desde luego que traducciones parciales de este *Sūtra* fueron realizadas toda vez que se tradujeron aquellas obras sánscritas que contienen citas más o menos extensas del mismo, como por ejemplo en la traducción del *Śikṣāsamuccaya* de Shāntideva por J. Bendall y W.H.D. Rouse, London, 1922 (reimpresión: Delhi, Motilal Banarsidass, 1971) y en la traducción de la *Prasannapadā* de Candrakīrti por J. May, Paris: A. Maisonneuve, 1959. También E. Frauwallner, en su *Die Philosophie des Buddhismus*, Berlin: Akademie Verlag, 1969, pp.49-60, tradujo algunos párrafos del *Sūtra* al alemán.

Traducción

EL SŪTRA DEL SHĀLISTAMBA [2]

1. *Ocasión en que el Sūtra fue predicado*

(**p.1**) He aquí lo que yo he oído. En cierta ocasión el *Bhagavant* [3] vivía en Rājagriha, en Gridhrakūṭa, con un gran grupo de *Bhikshus,* [4] con mil doscientos cincuenta *Bhikshus,* y con numerosos *Bodhisattvas Mahāsattvas.* [5] Entonces el venerable Shāriputra [6] se dirigió al lugar en donde se paseaba el *Bodhisattva Mahāsattva* Maitreya. [7] Y, una vez ahí, intercambiando diversas palabras cordiales, ambos se sentaros sobre una roca.

Entonces el venerable Shāriputra le dijo al *Bodhisattva Mahāsattva* Maitreya: "Oh Maestro, hoy, contemplando aquel *shālistamba*, el *Bhagavant* les dijo a los *Bhikshus* este *Sūtra:* `Oh *Bhikshus*, aquel que ve el Surgimiento Condicionado (*pratītyasamutpāda*), ve la Doctrina (*dharma*); aquel que ve la Doctrina, ve a *Budá.* [8] Habiendo dicho así, el *Bhagavant*, permaneció en silencio. Oh Maitreya (p.2), ¿cuál es el sentido profundo del *Sūtra* dicho por el Bien Encaminado? ¿qué es el Surgimiento Condicionado? ¿qué es la Doctrina? ¿qué es *Budá*? ¿viendo cómo el Surgimiento Condicionado, uno ve la Doctrina? ¿viendo cómo la Doctrina, uno ve a *Budá*?"

Cuando él habló así, el *Bodhisattva Mahāsattva* Maitreya le dijo esto al venerable hijo de Shāradvatī: [9]

2. *El Surgimiento Condicionado*

"Señor Shāriputra, con respecto a lo que ha dicho el *Bhagavant*, Señor de la Doctrina, omnisciente: `Oh *Bhikshus*, aquel que ve el Surgimiento Condicionado, ve la Doctrina; aquel que ve la Doctrina, ve a *Budá* - ¿qué es el Surgimiento Condicionado? El Surgimiento Condicionado es como sigue: existiendo esto, se produce aquello; con el surgimiento de esto, surge aquello. Así los residuos kármicos (*sa mskāras*)[10] se producen teniendo como condición determinante (*pratyaya*) a la ignorancia (*avidyā*)[11]; la conciencia (*vijñāna*) se produce teniendo como condición determinante a los residuos kármicos; el nombre y la forma (*nāmarūpa*)[12] se producen teniendo como condición determinante a la conciencia; los seis dominios (*shadāyatana*)[13] se producen teniendo como condición determinante al nombre y a la forma; el contacto (*sparsha*)[14] se produce teniendo como condición determinante a los seis dominios; la sensación (*vedanā*) se produce teniendo como condición determinante al contacto; el deseo (*trishnā*) se produce teniendo como condición determinante a la sensación; el apego (*upādāna*) se produce teniendo como condición determinante al deseo; la existencia (*bhava*)[15] se produce teniendo como condición determinante al apego; el nacimiento (*jāti*) se produce teniendo como condición determinante a la existencia;[16] la vejez y la muerte, la pena, el lamento, el sufrimiento, el desagrado y la inquietud (*jarāmaranaśoka-paridevaduhkhadaurmanasyopāyāsa*) se producen teniendo como condición determinante al nacimiento.[17] Así se produce el surgimiento de todo este gran cúmulo de sufrimientos.

Con la cesación (*nirodha*) de la ignorancia (**p.3**)[18] se da la cesación de los residuos kármicos; con la cesación de los residuos kármicos, se da la cesación de la conciencia; con la cesación de la conciencia se da la cesación del nombre y de la forma; con la cesación del nombre y de la forma se da la cesación de los seis dominios; con la cesación de los seis dominios se da la cesación del contacto; con la cesación del contacto se da la cesación de la sensación; con la cesación de la sensación se da la cesación del deseo; con la cesación del deseo se da la cesación del apego; con la cesación del apego se da la cesación de la existencia; con la cesación de la existencia se da la cesación del nacimiento; con la cesación del nacimiento cesan la vejez y la muerte, la pena, el lamento, el sufrimiento, el desagrado y la inquietud. Así se produce la cesación de todo este gran cúmulo de sufrimientos. Esto es llamado por el *Bhagavant* "Surgimiento Condicionado".

3. *La Doctrina*

¿Qué es la Doctrina? Es el Noble Octuple Camino, a saber: la correcta opinión, el correcto pensamiento, la correcta palabra, la correcta acción, la correcta forma de vida, el correcto esfuerzo, la correcta atención (*smṛti*), la correcta concentración de la mente (*samādhi*).[19] Este Camino llamado por el *Bhagavant* "Noble Octuple Camino", asumido con el único fin de la obtención del fruto, el *nirvāṇa*,[20] es "la Doctrina".

4. *Buda*

¿Qué es *Buda*, el *Bhagavant*? Aquel que es llamado "*Buda*" (*buddha*) en razón del conocimiento (*avabodha*) que tiene de todos los *dharmas*,[21] aquél, teniendo como ojo la noble sabiduría (*prajñā*) y dotado del cuerpo de la Doctrina (*dharmakāya*), ve los *dharmas* de los que han recibido la instrucción y de los que no han recibido la instrucción.[22]

5. *Características del Surgimiento Condicionado*

¿Cómo ve el Surgimiento Condicionado? El *Bhagavant* ha dicho: "Aquel que ve el Surgimiento Condicionado como eterno, sin vida, carente de vida, completamente inalterable, no nacido, no devenido, no hecho, no compuesto, sin obstáculo, sin fundamento, calmo, sin temor, ineliminable, imperecedero, teniendo como ser propio la no-cesación, aquél ve la Doctrina".

6. Características de la Doctrina

Y aquel que ve así la Doctrina, como eterna, sin vida, carente de vida, completamente inalterable, no nacida, no devenida, no hecha, no compuesta, sin obstáculo, sin fundamento, calma, sin temor, ineliminable, imperecedera, teniendo como ser propio la no-cesación, aquél ve a *Buda*, cuyo cuerpo está constituido por la Doctrina insuperable,[23] (p.4) en el momento de la comprensión de la noble Doctrina, sólo con la obtención del correcto conocimiento.

7. ¿Por qué es llamado "Surgimiento Condicionado"?

¿Por qué es llamado "Surgimiento Condicionado"? Es con causas (*hetu*), con condiciones determinantes, no sin causas, no sin condiciones determinantes. Por esta razón es llamado "Surgimiento Condicionado". El *Bhagavant* ha dicho concisamente la característica esencial del Surgimiento Condicionado. "Es el fruto del hecho de tener a algo como condición determinante.[24]

Con surgimiento o sin surgimiento de *Tathāgatas*[25] permanece la esencia de los *dharmas*[26], así hasta[27]: esa esencia es la estabilidad de los *dharmas*, la necesidad de los *dharmas*, la igualdad del Surgimiento Condicionado, la `así-dad´[28] (*tathatā*), la invariable `así-dad´, la no-diferente `así-dad´, la realidad (*bhūtatā*), la verdad (*satyatā*), la invariabilidad, la inalterabilidad".

8. *Causas y clases de Surgimiento Condicionado*

Ahora bien, además, este Surgimiento Condicionado surge de dos causas (*kāraṇa*). ¿De cuáles dos? De la relación causal (*hetu*) y de la relación condicional (*pratyaya*). Además se debe considerar que es de dos clases, externo y relativo al individuo.

9. *Relación causal*
del Surgimiento Condicionado externo

¿Cuál es la relación causal del Surgimiento Condicionado externo? Ésta: de la semilla, el brote; del brote, la hoja; de la hoja, el nudo; del nudo, el tallo; del tallo, el vástago; del vástago, la yema; de la yema, la espiga; de la espiga, la flor; de la flor, el fruto.[29] No dándose la semilla, no se produce el brote; así hasta: no dándose la flor, no se produce el fruto. Pero dándose la semilla, se da la producción del brote, así hasta: dándose la flor se da la producción del fruto. Entonces la semilla no piensa: "Yo produzco el brote"; tampoco el brote piensa: "Yo soy producido por la semilla"; (p.5) así hasta: la flor no piensa: "Yo produzco el fruto", ni tampoco el fruto piensa: "Yo soy producido por la flor". Y a su vez: dándose la semilla, se da la producción del brote, su manifestación; así hasta: dándose la flor, se da la producción del fruto, su manifestación. Así se debe considerar la relación causal del Surgimiento Condicionado externo.

10. *Relación condicional*
del Surgimiento Condicionado externo

¿Cómo se debe considerar (que se produce) la relación condicional del Surgimiento Condicionado externo? Con la conjunción de los seis elementos (*dhātu*). ¿Con la conjunción de cuáles seis elementos?

Se debe considerar (que) la relación condicional del Surgimiento Condicionado externo (se produce) con la conjunción de los elementos tierra, agua, fuego, viento, espacio y tiempo (*ṛtu*)[30]. El elemento tierra hace la función de receptáculo de la semilla. El elemento agua humedece la semilla. El elemento fuego hace madurar la semilla. El elemento viento hace desarrollar la semilla. El elemento espacio hace la función de no obstrucción de la semilla. Y el tiempo hace la función de transformación de la semilla. No existiendo estas condiciones, no se da la producción del brote a partir de la semilla. Cuando el elemento exterior tierra no se encuentra en forma deficiente y asimismo cuando los elementos agua, fuego, viento, espacio y tiempo no se encuentran en forma deficiente, entonces, con la conjunción de todos, cesando la semilla de existir, inmediatamente se da la producción del brote. Entonces el elemento tierra no piensa: "Yo hago la función de receptáculo de la semilla"; el elemento agua no piensa: "Yo humedezco la semilla"; el elemento fuego no piensa: "Yo hago madurar la semilla"; el elemento viento no piensa: "Yo hago desarrollar la semilla"; el elemento espacio no piensa: "Yo hago la función de no obstrucción de la semilla"; el elemento tiempo no piensa: "Yo hago la función de transformación de la semilla"; la semilla tampoco piensa: "Yo produzco el brote";[31] el brote (p.6) tampoco piensa: "Yo soy producido por aquellas condiciones".[32] Y a su vez, existiendo estas condiciones, cesando la semilla de existir, inmendiatamente se da la producción del brote; así hasta: existiendo la flor, se da la producción del fruto. Y aquel brote no es hecho por sí mismo, no es hecho por otro, no es hecho por ambos, no es hecho por un Señor (*Īshvara*), no es una transformación debida al tiempo (*kāla*); no es producido por una materia primordial (*prakṛti*) ni tampoco depende de una sola causa ni tampoco surge sin causa.[33] Y a su vez con la conjunción de los elementos tierra, agua, fuego, viento, espacio y tiempo, cesando la semilla de existir, inmediatamente se da la producción del brote. Así se debe considerar (que se produce) la relación condicional del Surgimiento Condicionado externo.

11. *Las cinco características del Surgimiento Condicionado externo*

Se debe considerar (que) el Surgimiento Condicionado externo (se distingue) por cinco características. ¿Cuáles cinco? (Se le debe considerar) como no-eterno, como no-destrucción, como no-pasaje (*saṃkrānti*), como la producción de un gran fruto a partir de una causa pequeña y como relación de similitud.

¿Por qué (se le debe considerar) "como no-eterno"? Por el hecho de que una cosa es el brote y otra la semilla, pero lo que es la semilla eso no es el brote ni el brote surge de la semilla destruida ni tampoco de la semilla no destruida: la semilla cesa e inmediatamente entonces surge el brote. Por esta razón (se le debe considerar) "como no-eterno". ¿Por qué "como no-destrucción"? El brote no proviene de una semilla previamente destruida ni tampoco de la semilla no destruida; la semilla es destruida y en aquel preciso momento surge el brote, como la subida y bajada de los brazos de una balanza. De ahí (que se le debe considerar) "como no-destrucción". ¿Por qué "como no-pasaje"? El brote no es similar a la semilla. De ahí (que se le debe considerar) "como no-pasaje". ¿Por qué "como la producción de un gran fruto a partir de una causa pequeña"? (p.7) Se siembra una semilla pequeña y ella produce un gran fruto. De ahí (que se le debe considerar) "como la producción de un gran fruto a partir de una causa pequeña". ¿Por qué "como relación de similitud"? Como es la semilla que se siembra, así es el fruto que ella produce. De ahí (que se le debe considerar) "como relación de similitud". Así se debe considerar (que) el Surgimiento Condicionado externo (se distingue) por cinco características.

12. Causas del Surgimiento Condicionado
relativo al individuo

El Surgimiento Condicionado relativo al individuo surge de dos causas. ¿De cuáles dos? De la relación causal y de la relación condicional.

13. Relación causal del Surgimiento Condicionado
relativo al individuo

¿Cuál es la relación causal del Surgimiento Condicionado relativo al individuo? Ésta: los residuos kármicos se producen teniendo como condición determinante a la ignorancia; así hasta: la vejez y la muerte se producen teniendo como condición determinante al nacimiento. Si la ignorancia no existiera, tampoco los residuos kármicos serían conocidos; así hasta: si el nacimiento no existiera, la vejez y la muerte no serían conocidas. Pero, existiendo la ignorancia, se da la producción de residuos kármicos; así hasta: existiendo el nacimiento, se da la producción de la vejez y la muerte. Entonces la ignorancia no piensa: "Yo produzco los residuos kármicos"; tampoco los residuos kármicos piensan: "Nosotros somos producidos por la ignorancia"; así hasta: el nacimiento no piensa: "Yo produzco la vejez y la muerte"; tampoco la vejez y la muerte piensan: "Nosotras somos producidas por el nacimiento". Pero, existiendo la ignorancia se da la producción de los residuos kármicos, **(p.8)** su manifestación; así hasta: existiendo el nacimiento, se da la producción de la vejez y la muerte, su manifestación. Así se debe considerar la relación causal del Surgimiento Condicionado relativo al individuo.

14. Relación condicional
del Surgimiento Condicionado relativo al individuo

¿Cómo se debe considerar (que se produce) la relación condicional del Surgimiento Condicionado relativo al individuo? Con la conjunción de los seis elementos. ¿Con la conjunción de cuáles seis elementos? Se debe considerar (que) la relación condicional del Surgimiento Condicionado interno (se produce) con la conjunción de los elementos tierra, agua, fuego, viento, espacio, conciencia. ¿Cuál es el elemento tierra del Surgimiento Condicionado interno? Aquel que con la compactidad produce la dureza del cuerpo, aquél es llamado "el elemento tierra". Aquel que hace la función de cohesionar al cuerpo, aquél es llamado "el elemento agua". Aquel que hace digerir lo comido, lo bebido, lo masticado por el cuerpo, aquél es llamado "el elemento fuego". Aquel que hace la función de inspirar y espirar del cuerpo, aquél es llamado "el elemento viento". Aquel que produce la vaciedad del interior del cuerpo, aquél es llamado "el elemento espacio". Aquel que, mediante el haz de cañas,[34] produce aquel brote que es el nombre y la forma del cuerpo, la conciencia de la mente provista de impurezas (*āsrava*) y unida con el conjunto de las cinco conciencias,[35] aquél es llamado "el elemento conciencia" (*vijñāna*). No existiendo estas condiciones, no se da el surgimiento del cuerpo. Cuando el elemento interno tierra no se encuentra en forma deficiente, y asimismo cuando los elementos agua, fuego, viento, espacio y conciencia no se encuentran en forma deficiente, entonces con la conjunción de todos ellos se da la producción del cuerpo. Entonces el elemento tierra no piensa: "Yo con la compactidad produzco la dureza del cuerpo"; el elemento agua no piensa: "Yo hago la función de cohesionar al cuerpo" (p.**9**); el elemento fuego no piensa: "Yo hago digerir lo comido, lo bebido, lo masticado por el cuerpo"; el elemento viento no piensa: "Yo hago la función de inspirar y espirar del cuerpo"; el elemento espacio no piensa: "Yo produzco la vaciedad del interior del cuerpo"; el elemento conciencia no piensa: "Yo produzco el nombre y la forma del cuerpo"; y el cuerpo tampoco piensa: "Yo he sido procreado gracias a aquellas condiciones". Pero, existiendo aquellas condiciones, se da el surgimiento del cuerpo.

15. Definición negativa de los elementos

El elemento tierra no es sustancia (*ātman*) ni ser ni ser vivo ni creatura ni hombre ni humano ni mujer ni varón ni hermafrodita ni yo ni mío ni de ningún otro. De la misma manera el elemento agua, el elemento fuego, el elemento viento, el elemento espacio, el elemento conciencia no son sustancias ni seres vivos ni creaturas ni hombres ni humanos ni mujeres ni varones ni hermafroditas ni yos ni míos ni de ningún otro.

16. Definiciones de la ignorancia, etc.

¿Qué es la ignorancia? La creencia de que aquellos seis elementos son uno, la creencia de que son masa, la creencia de que son permanentes, la creencia de que son firmes, la creencia de que son eternos, la creencia de que son placenteros, la creencia de que son sustancia (*ātman*), la creencia de que son seres, seres vivos, creaturas, hombres, individuos (*pudgala*), la creencia de que son hombres, humanos, la creencia de que son yos, míos - el variado no-conocimiento (*ajñāna*) del indicado tenor es llamado "ignorancia". Existiendo la ignorancia así, se producen la pasión (*rāga*), la aversión (*dvesha*) (p.10) y la confusión mental (*moha*) con respecto a los objetos. La pasión, la aversión y la confusión mental con respecto a los objetos son llamados "*saṃskāras*" condicionados por la ignorancia. "La conciencia" es el conocimiento (*prativijñapti*) de las cosas. "El nombre" (*nāman*) son los cuatro *skandhas*,[36] denominados sustrato, incluyendo a la conciencia y excluyendo a la forma (*rūpa*)[37]. "Forma" (*rūpa*) son los cuatro grandes elementos (*mahābhūta*) y la forma que depende de ellos. Aquel nombre y aquella forma reunidos en uno constituyen "el nombre y la forma". "Los seis dominios" son los sentidos (*indriya*) conectados con el nombre y la forma. "El contacto" es el encuentro de tres factores de existencia (*dharma*)[38]. "La sensación" es la experiencia del contacto. "El deseo" es el aferrarse a la sensación. "El apego" es la amplificación del deseo. "La existencia" es la acción (*karman*) que surge del apego y que genera la re-existencia. "El nacimiento" es la manifestación de *skandhas* causada por la existencia. "La vejez" es la maduración de los *skandhas* desde el momento en que se ha nacido. "La muerte" es la destrucción del *skandha* decrépito. "La pena" es la tortura interior del que se está muriendo, está confundido y tiene un intenso apego. "El lamento" es el gemido surgido de la pena. "El sufrimiento" es la experiencia displacentera unida al conjunto de las cinco conciencias. El desagrado es el sufrimiento mental unido a una preocupación. Y "las inquietudes" (*upāyāsa*) son todas las perturbaciones menores (*upaklesha*) similares a las anteriores.

17. *Otros sentidos de la ignorancia, etc.*

(**p.11**) (Se usa) "ignorancia" en el sentido de gran oscuridad; "residuos kármicos" en el sentido de *abhisaṃskāra*,[39] "conciencia" en el sentido de dar a conocer; "nombre y forma" en el sentido de soporte recíproco; "seis dominios" en el sentido de lugar de recolección; "contacto" en el sentido de tocar; "sensación" en el sentido de experiencia; "deseo" en el sentido de apetencia; "apego" en el sentido de apego; "existencia" en el sentido de producción de reexistencias; "nacimiento" en el sentido de manifestación de los *skandhas*; "vejez" en el sentido de maduración de los *skandhas*; "muerte" en el sentido de destrucción; "pena" en el sentido de pesadumbre; "lamento" en el sentido de lamentación con la palabra; "sufrimiento" en el sentido de dolor corporal; "desagrado" en el sentido de dolor mental; "inquietudes" en el sentido de perturbaciones menores.

18. *Indicaciones complementarias*
sobre la ignorancia, etc.

Además, la ignorancia es la no-captación (*apratipatti*) de la realidad (*tattva*), la captación falsa, el no-conocimiento. Existiendo la ignorancia así, se producen residuos kármicos de tres clases: asociados al mérito (*puṇya*), asociados al demérito (*apuṇya*), asociados a la indiferencia moral (*āneñjya*). La conciencia asociada al mérito es propia de los residuos kármicos asociados al mérito. La conciencia asociada al demérito es propia de los residuos kármicos asociados al demérito. La conciencia asociada a la indiferencia moral es propia de los residuos kármicos asociados a la indiferencia moral. Ella es llamada (**p.12**) "la conciencia que tiene como condición determinante a los residuos kármicos". Los cuatro *skandhas*, incluyendo a la conciencia y excluyendo a la materia, y la materia son llamados "el nombre y la forma que tienen como condición determinante a la conciencia". Con el desarrollo del nombre y de la forma, mediante los seis dominios, se producen las acciones por realizar. Ellos son llamados "los seis dominios que tienen como condición determinante al nombre y a la forma". Las seis clases de contacto se producen por medio de los seis dominios. Él es llamado "el contacto que tiene como condición determinante a los seis dominios". Como es el contacto, así resulta ser la sensación. Ella es llamada "la sensación que tiene como condición determinante al contacto". Si uno gusta en forma particular aquella sensación, goza con ella, persevera en ella, y se mantiene perseverando en ella - aquello es llamado "el deseo que tiene como condición determinante a la sensación". Aquella ansia constante, por el no-abandono (de algo deseado), proveniente del gusto, el goce, la perseveración y el mantenerse perseverando (expresada de la manera siguiente): "¡Que no se dé (para mí) la separación de las cosas (*rūpa*) que (me) son agradables ni de las cosas que (me) son queridas!" - ella es llamada "el apego que tiene como condición determinante al deseo". El que desea así hace surgir con el cuerpo, con la palabra y con la mente un *karman*, productor de re-existencia. Éste es llamado "la existencia que tiene como condición determinante al apego". (**p.13**) El surgimiento de los cinco *skandhas* nacidos de aquel *karman*, es llamado "el nacimiento que tiene como condición determinante a la existencia". Por obra del decaimiento y la maduración de los *skandhas* surgidos por el nacimiento, se produce su destrucción. Esto es llamado "la vejez y la muerte que tienen como condición determinante al nacimiento".

19. *Características del Surgimiento Condicionado*

Así el Surgimiento Condicionado, de doce miembros, funciona con causalidad mutua, con condicionalidad mutua, no siendo ni eterno ni no-eterno ni condicionado (*saṃskṛta*) ni no-condicionado (*asaṃskṛta*) ni carente de causas ni carente de condiciones ni sujeto del conocimiento; no teniendo como característica la destrucción ni el aniquilamiento ni la supresión; funcionando desde una eternidad (*kāla*) sin comienzo; sin haber sufrido jamás interrupción – al igual que la corriente de un río.

20. *Explicación del surgimiento
del nombre y de la forma*

Si el Surgimiento Condicionado, de doce miembros, funciona con causalidad mutua, con condicionalidad mutua, no siendo ni eterno ni no-eterno ni condicionado ni no-condicionado ni carente de causas ni carente de condiciones ni sujeto del conocimiento; no teniendo como característica la destrucción ni el aniquilamiento ni la supresión; funcionando desde una eternidad sin comienzo; sin haber sufrido jamás interrupción - al igual que la corriente de un río; también estos cuatro miembros del Surgimiento Condicionado, de doce miembros, funcionan como causa para el efecto del agregamiento (*saṃghāta*).[40] ¿Cuáles cuatro? La ignorancia, el deseo, el *karman* y la conciencia. Entre ellos la conciencia es causa con la naturaleza de "semilla". El *karman* es causa con la naturaleza de "campo".

La ignorancia y el deseo son causa con la naturaleza de "impurezas" (*klesha*). Las impurezas del *karman* hacen surgir aquella semilla que es la conciencia. El *karman* hace la función de campo de aquella semilla que es la conciencia. (p.14) El deseo humedece aquella semilla que es la conciencia. La ignorancia esparce aquella semilla que es la conciencia. No existiendo estas condiciones, no se da la producción de aquella semilla que es la conciencia. Entonces el *karman* no piensa: "Yo hago la función de campo de aquella semilla que es la conciencia"; el deseo no piensa: "Yo humedezco aquella semilla que es la conciencia"; la ignorancia no piensa: "Yo esparzo aquella semilla que es la conciencia"; la semilla que es la conciencia tampoco piensa: "Yo he sido procreada gracias a aquellas condiciones".

Ahora bien, aquella semilla que es la conciencia, plantada en aquel campo que es el *karman*, empapada por aquella humedad que es el deseo, bien esparcida por la ignorancia, crece. Ella, dándose la adjunción del lugar de nacimiento, produce en la matriz de la madre aquel brote que es el nombre y la forma. Aquel brote que es el nombre y la forma no es hecho por sí mismo, no es hecho por otro, no es hecho por ambos, no es hecho por un Señor, no es una transformación debida al tiempo, no es producido por una materia primordial ni tampoco depende de una sola causa ni tampoco surge sin causa. Pero, en razón de la unión de la madre y del padre, con la conjunción del tiempo (*ṛtu*), con la conjunción de aquellas otras condiciones, aquella semilla que es la conciencia, compenetrada de goce con respecto a esto y aquello, dándose la adjunción del lugar de nacimiento, produce en la matriz de la madre aquel brote que es el nombre y la forma, en razón de que las causas y condiciones no se encuentran en forma deficiente - no teniendo (todos estos) *dharmas* un poseedor, estando al margen de "lo mío", careciendo de toda posesión, siendo semejantes al espacio y teniendo su naturaleza propia la característica de la ilusión.

21. *Explicación del surgimiento de la conciencia o conocimiento visual*

(p.15) Así en razón de cinco causas surge la conciencia del ojo (*cakshurvijñāna*). ¿Cuáles cinco? En dependencia del ojo, de la forma, de la luz, del espacio y de la atención producida gracias a ellos, surge la conciencia del ojo. El ojo hace la función de apoyo (*āshraya*) de la conciencia del ojo. La forma hace la función de fundamento (*ālambana*) de la conciencia del ojo. La luz hace la función de manifestación (*avabhāsa*). El espacio hace la función de no obstrucción. La atención producida gracias a ellos hace la función de aprehensión (*samanvāhāra*). No existiendo estas condiciones, la conciencia del ojo no surge. Pero cuando el dominio (*āyatana*) interno del ojo no se encuentra en forma deficiente, y asimismo cuando la forma, la luz, el espacio y la atención producida gracias a ellos no se encuentran en forma deficiente, entonces con la conjunción de todos ellos surge la conciencia del ojo. Entonces el ojo no piensa: "Yo hago la función de apoyo de la conciencia del ojo"; la forma tampoco piensa: "Yo hago la función de fundamento de la conciencia del ojo"; la luz tampoco piensa: "Yo hago la función de manifestación de la conciencia del ojo"; el espacio tampoco piensa: "Yo hago la función de no obstrucción de la conciencia del ojo"; la atención producida gracias a ellos tampoco piensa: "Yo hago la función de aprehensión de la conciencia del ojo"; la conciencia del ojo tampoco piensa: "Yo he sido producida por aquellas condiciones". Y a su vez, existiendo aquellas condiciones, se da el surgimiento de la conciencia del ojo. Igualmente hay que proceder con respecto a los restantes sentidos de acuerdo con cada caso.

22. *Explicación de la transmigración*

(p.16) Ningún *dharma* pasa de este mundo al otro mundo. Pero existe la experiencia (*prativijñapti*) del fruto de la acción (*karman*), cuando no hay deficiencia en las causas y condiciones. Así como en el disco de un espejo completamente limpio se ve la imagen reflejada de un rostro, pero el rostro no pasa al disco del espejo; y, cuando no hay deficiencia en las causas y condiciones, existe la percepción (*prativijñapti*) del rostro; de la misma manera nadie parte de este mundo ni nace en otro; pero, cuando no hay deficiencia en las causas y condiciones, existe la experiencia (*prativijñapti*) del fruto de la acción. Así como el disco de la luna abarca cuatro mil *yojanas*,[41] y sin embargo se ve la imagen reflejada de la luna en un pequeño recipiente de agua, pero el disco de la luna no ha bajado de su lugar y no ha pasado al pequeño recipiente de agua; pero, cuando no hay deficiencia en las causas y condiciones, existe la percepción (*prativijñapti*) del disco de la luna; de la misma manera nadie parte de este mundo ni nace en otro; pero, cuando no hay deficiencia en las causas y condiciones, existe la experiencia (*prativijñapti*) del fruto de la acción.

Así como, existiendo el sustrato del combustible, el fuego arde, y cuando hay deficiencia en el sustrato no arde, de la misma manera aquella semilla que es la conciencia nacida de las impurezas (*klesha*) del *karman*, dándose la adjunción del lugar de nacimiento, produce en la matriz de la madre aquel brote que es el nombre y la forma en razón de que las causas y condiciones no se encuentran en forma deficiente - no teniendo (todos estos) *dharmas* un poseedor, estando al margen de "lo mío", careciendo de toda posesión, siendo semejantes al espacio y teniendo su naturaleza propia la característica de la ilusión. (p.17) Así se debe considerar (que se produce) la relación condicional del Surgimiento Condicionado relativo al individuo.

23. *Las cinco características del Surgimiento Condicionado relativo al individuo*

Se debe considerar (que) el Surgimiento Condicionado relativo al individuo (se distingue) por cinco características. ¿Cuáles cinco? (Se le debe considerar) como no eterno, como no-destrucción, como no-pasaje, como la producción de un gran fruto a partir de una causa pequeña y como relación de similitud. ¿Por qué (se le debe considerar) "como no-eterno"? Por el hecho de que una cosa son los *skandhas* cercanos a la muerte y otra los *skandhas* que forman parte del nacimiento, pero los *skandhas* cercanos a la muerte no son los que forman parte del nacimiento; más aún los *skandhas* cercanos a la muerte cesan, y en aquel preciso momento se manifiestan los *skandhas* que forman parte del nacimiento. Por esta razón (se le debe considerar) "como no-eterno". ¿Por qué "como no-destrucción"? Los *skandhas* que forman parte del nacimiento no se manifiestan habiendo cesado previamente los *skandhas* cercanos a la muerte ni sin que éstos cesen: los *skandhas* cercanos a la muerte cesan y en aquel preciso momento se manifiestan los *skandhas* que forman parte del nacimiento, como la subida y la bajada de los brazos de una balanza. De ahí (que se le debe considerar) "como no-destrucción". ¿Por qué "como no-pasaje"? **(p.18)** (Porque) conjuntos diferentes de elementos (*sattva*) producen el nacimiento en el nacimiento correspondiente. De ahí (que se le debe considerar) "como no-pasaje". ¿Por qué "como la producción de un gran fruto a partir de una causa pequeña"? (Porque) se hace una acción pequeña y se experimenta una gran consecuencia del fruto. De ahí (que se le debe considerar) "como la producción de un gran fruto a partir de una causa pequeña". ¿Por qué "como relación de similitud"? (Porque) como es la acción que se hace, así es la consecuencia que se experimenta. De ahí (que se le debe considerar) "como relación de similitud". Así se debe considerar (que) el Surgimiento Condicionado relativo al individuo (se distingue) por cinco características.

24. *Características del Surgimiento Condicionado y efectos de su conocimiento*

Oh señor Shāriputra, cualquiera que, mediante el correcto conocimiento (*prajñā*), ve este Surgimiento Condicionado que de modo perfecto ha sido proclamado por el *Bhagavant*, así como es - como eterno, sin vida, carente de vida, completamente inalterable, no nacido, no devenido, no hecho, no compuesto, sin obstáculo, sin fundamento, calmo, sin temor, ineliminable, imperecedero, teniendo como ser propio la no-cesación, y lo percibe como inexistente, como vacío (*tuccha*), como vacuo (*rikta*), como sin consistencia (*sāra*), como enfermedad, como tumor, como espina, como impureza, como impermanente, como dolor, como vacío (*shūnya*), como insustancial (*anātman*) - aquél no dirige su pensamiento (*pratisarati*) al pasado: "¿Existí yo en una vida anterior o no existí yo en una vida anterior? ¿Qué fui yo en una vida anterior? ¿Cómo fui yo en una vida anterior?" Tampoco dirige su pensamiento al futuro: "¿Existiré yo en una vida futura o no existiré yo en una vida futura? ¿Qué seré yo en una vida futura? ¿Cómo seré yo en una vida futura?". Tampoco dirige su pensamiento al presente: "¿Qué es esto? ¿Cómo es esto? **(p.19)** ¿Qué son los seres? ¿Qué seremos? ¿Este ser de dónde ha venido? ¿Partiendo de aquí a dónde irá?" Y las diversas opiniones que en este mundo tienen algunos samanes y brahmanes - como las relativas a la teoría de la sustancia (*ātman*), las relativas a la teoría de un ser, las relativas a la teoría de un ser vivo, las relativas a la teoría de un individuo (*pudgala*), las relativas a las ceremonias auspiciosas - (opiniones) que aparecen y desaparecen, (todas) ellas en ese momento son abandonadas (por aquel que ve correctamente lo que es el Surgimiento Condicionado), son comprendidas, arrancadas de raíz, como la cresta de la palmera, dejan de aparecer en el futuro, teniendo como naturaleza el no-surgimiento y la no-cesación.[42]

Oh señor Shāriputra, aquel que es capaz de aceptar (*kshāntisamanvita*) una Doctrina de tal naturaleza, comprende correctamente el Surgimiento Condicionado; a aquél el *Tathāgata*, *Arhant*, [43] Perfectamente Iluminado, dotado de sabiduría y buena conducta, bien encaminado, conocedor del mundo, insuperable conductor de los hombres que han de ser controlados, maestro de dioses y de hombres, el *Buda*, el *Bhagavant* - le anuncia la Perfecta Iluminación: `Serás un *Buda*, Perfectamente Iluminado'".

Así dijo el *Bodhisattva Mahāsattva* Maitreya.

Entonces el señor Shāriputra y el mundo con los Dioses, los hombres, los *Asuras*[44] y los *Gandharvas*,[45] regocijándose con lo dicho por el *Bodhisattva Mahāsattva* Maitreya, se alegraron.

NOTAS

1 *Tōhoku* 210 y *Catalogue* 876: *Ḥphags-pa sā-luḥi ljaṅ-pa shes-bya-ba theg-pa chen-poḥi mdo (theg-pa chen-po = Mahāyāna).* *Taishō* 710: *Ts'eu che p'ou sa so chouo ta tch'eng yuan cheng tao kan yu king.* *Taishō* 711: *Ta tch'eng chö li so tan mo king. Taishō* 712: *Ta tch'eng tao kan king. (Ta tch'eng = Mahāyāna).* (Las transcripciones chinas son las del *Hōbōgirin.*).

2 Nombre de un arbusto que produce granos similares a los del arroz.

3 Epíteto frecuente de *Buda* que significa: "afortunado", "ilustre", "sublime", "señor". Otro epíteto frecuente es el de Bien Encaminado (*Sugata*).

4 Monjes budistas.

5 Los *Bodhisattvas* son aquellos seres que han hecho el voto de dedicar toda su actividad y todos sus esfuerzos a alcanzar la Suprema Perfecta Iluminación, han llegado al más alto grado de desarrollo en la disciplina intelectual y moral budistas y están aptos para entrar en el *nirvāṇa* final y sin retorno, pero no ingresan en él para quedarse en el mundo con el fin de ayudar a los otros seres a alcanzar la Iluminación. Representan el `ideal de sabio' en el Budismo Mahāyāna. Frecuentemente

reciben el epíteto de *mahāsattvas*, "grandes seres". Sobre el *Bodhisattva* ver M. Dayal, *The Bodhisattva Doctrine in Buddhist Sanskrit Literature*, y L. de la Vallée Poussin, "Bodhisattva", en *ERE* II, pp.739-753.

6   Discípulo importante de *Buda*.

7   *Bodhisattva* importante del panteón budista.

8   El texto da a entender con esta frase la importancia que en el Budismo tiene la teoría del Surgimiento Condicionado (o sea el surgimiento de todo mediante la conjunción de causas y condiciones, la naturaleza de condicionado que todo tiene). Conocer la Doctrina es conocer a *Buda*: identificación de *Buda* y su Doctrina.

9   Otro nombre de Shāriputra.

10   El término *saṃskāra* es de difícil traducción. Tiene múltiples sentidos. Básicamente el término *saṃskāra* significa *fuerza formativa* capaz de dar lugar a un efecto, una consecuencia, un resultado de cualquier naturaleza. Pueden por consiguiente ser calificadas de *saṃskāras* las diversas actividades, procesos, operaciones mentales del individuo en cuanto dan lugar a determinados efectos. En forma especial *saṃskāra* significa: 1. las voliciones o sea la función mental mediante la cual el individuo desea algo o actúa de determinada manera para conseguir algo, los actos volitivos. Este valor es el que tiene el término *saṃskāra* cuando se le designa como uno de los *skandhas* o elementos constitutivos del hombre junto con percepciones, sensaciones, conciencia y elemento material (el cuerpo); 2. El término *saṃskāra* puede ser tomado muchas veses como sinónimo de *karman*, acción, actividad conducta, en cuanto que todo *karman* es causa de determinados efectos; 3. Los efectos

inmediatos que toda acción (*karman*) tiene; 4. los "residuos" o efectos diferidos que deja toda acción, que se actualizan en *otra existencia*, que dan lugar a una nueva vida, a una nueva conciencia alrededor de la cual se organiza un nuevo individuo, y que determinan la forma de existencia, el destino, de ese individuo en esa nueva vida. Este sentido es el que la palabra *saṃskāra* tiene en la fórmula de los doce miembros; 5. las impresiones subliminales que deja toda experiencia y que se acumulan en el subconsciente y que pueden dar lugar, reactualizándose a nuevas experiencias, similares a las que las produjeron, recuerdos, formas de actuar, etc. 6. las cosas en cuanto compuestas y por consiguiente condicionadas. El *Shālistambasūtra* un poco más adelante señala que la pasión, el odio y la confusión mental constituyen *saṃskāras*.

11   Ignorancia (*avidyā*) de la doctrina de *Buda*, en especial ignorancia de la verdadera naturaleza de las cosas: insustanciales, impermanentes, causa de dolor. En la Sección 16 el texto señala algunas de las manifestaciones de la ignorancia. La ignorancia en todas sus formas es el origen del mal según el Budismo.

12   *Nombre y forma*: expresión que indica la individualidad, la unidad psico-física que es el hombre. Cf. nota 36.

13   *Los seis dominios (āyatana)*. Como término técnico budista *āyatana* es un sustantivo colectivo que designa determinados *dharmas* importantes en el análisis del hombre: los seis órganos de los sentidos (ojo, oído, nariz, lengua, cuerpo, mente) (= *āyatanas* internos) y los seis objetos de los sentidos (forma, sonido, olor, gusto, objeto tangible, objeto cognoscible) (= *āyatanas* externos).

14   *Contacto*: con este término se alude al contacto de los sentidos (incluida la mente) con sus respectivos objetos, siendo las ideas el objeto del sentido mente.

15   *Existencia*: de acuerdo con la concepción india la existencia empírica se presenta ineludiblemente bajo la forma de reencarnaciones. Mientras está encadenado al ciclo de reencarnaciones el hombre pertenece a la existencia, existe.

16   Mientras uno está encadenado al ciclo de las reencarnaciones, o sea mientras existe, el hombre tiene que nacer, aparecer en una nueva reencarnación.

17   La vejez etc. se dan para el hombre mientras esté encadenado al ciclo de las reencarnaciones, mientras nazca una vez y otra.

18   Hasta aquí el texto de esta Sección ha explicado el Surgimiento Condicionado señalando con qué se produce el *surgimiento* de cada uno de los miembros de la cadena causal de los doce miembros. Desde aquí hasta el final de la sección el texto expone el Surgimiento Condicionado, "a contrapelo (*pratiloma*)", señalando con qué se produce la *cesación* de cada uno de esos miembros.

19   El Noble Óctuple Camino constituye la Ética del Budismo, el conjunto de las normas a que debe someterse el budista y que tienen que ver con su acción con el cuerpo, con la palabra con la mente. Cf. C. Dragonetti, *Dhammapada. La esencia de la sabiduría budista*, Buenos Aires: Editorial Sudamericana, 1995, pp.67-69.

20   El *nirvāṇa* es la cesación de la serie de las reencarnaciones.

21   La palabra *dharma*, entre sus múltiples sentidos, significa especialmente: 1. la Doctrina de *Buda*; 2. los factores o elementos de la existencia, cuya reunión da lugar a todo lo que existe, por ejemplo al hombre (cf. notas 33 y 36); 3. las leyes que regulan la existencia y el comportamiento de la realidad empírica.

22   Con esta expresión el texto indica que *Buda* ve, conoce, los *dharmas* (factores de existencia, en este caso especialmente las cualidades) de todos los seres, instruidos en el Budismo o no. *Buda* conoce la constitución moral de todos los seres y el destino que les corresponde en función de esa constitución moral.

23   Identificación de *Buda* y su Doctrina. Por eso se dice que el cuerpo de *Buda* es el cuerpo de la Doctrina. Por eso cuando se conoce a la Doctrina se conoce a *Buda*. Ver Sección 1.

24   Lo característico del Surgimiento Condicionado es su vinculación con la causalidad y con el principio descubierto por *Buda* cuando llegó a la Iluminación: "Todo tiene una causa".

25   Término que designa a los *Budas*.

26   La manera de ser, la naturaleza de los *dharmas*, elementos constitutivos de todo lo existente, es un hecho que no depende de los *Budas*. *Buda* no es un Creador, es el Maestro que descubre la verdadera manera de ser de las cosas, el descubridor de las Leyes que rigen la realidad.

27   "Así hasta": expresión usual con la que el texto resume una larga enumeración sobreentendiendo los términos intermedios. Ver otros ejemplos en las Secciones 9, 10 y 13.

28   La "así-dad": el hecho de ser así, de ser tales como son y no de otra manera, es decir su naturaleza propia, cuya invariabilidad e independencia son puestas de relieve por las líneas que siguen.

29   La serie genética que presenta el texto es un ejemplo de las series causales en que la realidad empírica se descompone, siendo cada término efecto del anterior y causa del siguiente.

30   *Ṛtu*: literalmente "estación", "momento determinado, adecuado".

31   Leemos *aṅkura* en lugar de *bīja*, que no da sentido.

32   Los elementos mencionados antes actúan y llenan sus respectivas funciones automáticamente, sin que intervenga un acto de voluntad.

33   La realidad empírica es un resultado de la conjunción de innumerables *dharmas*, factores de lo existente, que actúan como causa y están a su vez sometidos a la ley de la causalidad. El surgimiento del brote es un ejemplo del surgimiento de todo lo que compone la realidad empírica.

34   Probable referencia a la red de arterias y venas a través de las cuales "circula" la conciencia.

35   La conciencia, el conocimiento propio de cada uno de los sentidos diferentes de la mente que surge cuando un sentido entra en contacto con

su respectivo objeto. Recordemos que para la psicología india existen seis sentidos, ya que se incluye a la mente como sexto sentido. El objeto del sentido mente está constituido por las representaciones, ideas, etc. Debemos entender las palabras: "*la conciencia de la mente provista de impurezas y unida con el conjunto de las cinco conciencias*" como una aposición o aclaración de *aquel que produce* etc.

36   Los *skandhas* son las cinco clases de *dharmas* (o factores de existencia) cuya reunión constituye al hombre. Ellos son: la sensación, la percepción, la volición, la conciencia y la materia (cuerpo). El texto opone los cuatro primeros *skandhas*, agrupados   bajo la denominación de "nombre", el componente "psíquico" del hombre, al último, el *rūpa* o cuerpo, el componente material.

37   *Rūpa* es propiamente la apariencia externa (forma, color) bajo la cual las cosas se presentan ante la vista. También por extensión designa la materia y, tratándoses del hombre, su cuerpo. Está constituida, como dice el texto, por los cuatro grandes elementos: tierra, agua, fuego, aire.

38   Los tres *dharmas* a que se refiere el texto son la conciencia, el sentido y el objeto correspondiente. La conciencia surge cuando se produce el contacto del sentido y su respectivo objeto.

39   *Abhisaṃskāra*: término que debemos entender como sinónimo de *saṃskāra*. Cf. nota 10. Edgerton, *Buddhist Hybrid Sanskrit Dictionary, sub voce* señala para este término el valor de "realización", "acumulación".

40   Es decir para producir el conglomerado que es la unidad psicofísica del individuo.

41   Medida de gran longitud.

42   Aquellos que conocen el Surgimiento Condicionado tal como es están al margen de la inquietud especulativa respecto de los temas o cuestiones que el texto ha enumerado ("¿Existí yo...?"), y que constituyen los temas de estudio y de discusión de samanes (ascetas) y brahmanes.

43   El término *Arhant* se aplica a aquellos que han hecho realidad las enseñanzas de *Buda*, alcanzando la meta a que ellas conducen: la Sabiduría y la Liberación. Representa el 'ideal de sabio' en el Budismo Primitivo y Hīnayāna. Es un epíteto también aplicado a *Buda*, designado en este pasaje con la palabra *Tathāgata*.

44   Enemigos de los dioses según el Brahmanismo e Hinduismo, pero covertidos en seres pacíficos por el Budismo.

45   Músicos del cielo.

BIBLIOGRAFÍA

Catalogue: The Tibetan Tripiṭaka, Peking Edition - kept in the Library of the Otani University, Kyoto- . Reprinted under the supervision of the Otani University, Kyoto. Edited by Dr.D.T. Suzuki, *Catalogue & Index*, Tokyo, Suzuki Research Foundation, 1962.

de la Vallée Poussin, L., *Bouddhisme, Etudes et Matériaux. Théories des douze causes*, Gand, E. van Goethem, 1913.

Edgerton, F., *Buddhist Hybrid Sanskrit, Vol. II: Dictionary*, New Haven, Yale University Press, 1953.

Gokhale, V.V., *Madhyamaka-Shālistambasūtram*, en *Mahāyāna-Sūtra-Samgraha* I, edited by P.L. Vaidya, Darbhanga, The Mithila Institute, 1961 (Buddhist Sanskrit Texts – Nº 17), pp.107-116.

Hōbōgirin, Dictionnaire Encyclopédique du Bouddhisme d'après les sources chinoises et japonaises, publié... sous la direction de S. Levi et J. Takakusu, rédacteur en chef P. Demiéville, Tky, Maison-Franco-Japonaise, 1929 y ss.

Kalupahana, D.J., *Causality: The Central Philosophy of Buddhism*, Honolulu: The University Press of Hawaii, 1975.

Nyanatiloka Mahathera, *The Significance of Dependent Origination in Theravada Buddhism*, Kandy: Buddhist Publication Society, 1969.

Oldenberg, H., *Buddha, sein Leben, seine Lehre, seine Gemcinde*, Stuttgart und Berlin: J.G. Cotta'sche Buchhandlung Nachfolger, 1921. Edición al cuiddo de H. von Glasenapp: München: Wilhelm Goldmann Verlag, 1961. Traducción inglesa: *Buddha. His Life, His Doctrine, His Order*, Delhi: Motilal Banarsidass, 1997. Traducción francesa: *Le Bouddha. Sa vie, sa doctrine, sa communauté*, Paris: Felix Alcan, 1921. Traducción al español: *Buda, su vida, su obra, su comunidad*, Buenos Aires: Editorial Kier, 1949.

Oltramare, P., *La formule bouddhique des douze causes. Son sens originel et son interpretation théologique*, Genève: Librairie George & Cie., 1909.

Répertoire du Canon Bouddhique Sino-Japonais. Edition du Taish (Taishō Shinshū Daizōkyō), Compilé par Paul Demiéville, Hubert Durt, Anna Seidel, Paris-Tōkyō, 1978.

Sastri, N. Aiyaswami, *Ārya S'ālistamba Sūtra, Pratītyasamutpāda-vibhanganirdes'asūtra and Pratītyasamutpādagāthā Sūtra*, edited with Tibetan Versions, notes and Introduction, etc. by..., Adyar, Madras, Adyar Library, 1950.

Schoening, J.D., *The Salistambasūtra and its Indian commentaries* (1991), Ann Arbor MI (USA), UMI Dissertation Information Service. Ver la siguiente obra.

Schoening, J.D., *The Śalistamba Sūtra and its Indian Commentaries*, dos volúmenes, Wien: Wiener Studien zur Tibetologie und Buddhismuskunde, Universität Wien, 1995. Contiene, además de estudios filológicos del *Sūtra*, la traducción de dos comentarios del mismo, uno por Kamalashīla y otro atribuido a Nāgārjuna traducidos al inglés.

Taishō: Taishō Shinshū Daizōkyō (The Tripiṭaka in Chinese). Revised, collated, added and rearranged, Together with Original Treatises by Chinese, Korean and Japanese Authors. Edited by Prof. Dr. J. Takakusu, Prof. Dr. K. Watanabe, First edition in 1927, Reprinted 1960. Published by The Taishō Shinshū Daizōkyō Kanko Kai (Society for the Publication of the Taishō Tripiṭaka), Tokyo.

Takasaki, Jikido, *An Introduction to Buddhism*, Tokyo: The Tōho Gakkai, 1987.

Tōhoku: A Complete Catalogue of the Tibetan Buddhist Canons (Bka-gyur and Bstan-gyur), edited by H. Ui, M. Suzuki, Y. Kanakura, T. Tada, Sendai (Japan), Tōhoku Imperial University aided by Sait Gratitude Foundation, 1934.

Vaidya, P.L., *Mahāyāna-Sūtra-Samgraha* I, edited by..., Darbhanga, The Mitila Institute, 1961 (Buddhist Sanskrit Texts – Nº 17), pp.100-106.

ĀRYABHAVASAṂKRĀNTINĀMAMAHĀYĀNASŪTRA

EL NOBLE SŪTRA DEL MAHĀYĀNA
DENOMINADO "LA TRANSMIGRACIÓN DE LA EXISTENCIA"

traducido del tibetano
con Introducción y Notas

Introducción

El *Bhavasaṅkrāntisūtra* pertenece al grupo de los *Sūtras Independientes* del Budismo Mahāyāna. A continuación enumeramos otros de los *Sūtras* más importantes de este grupo: *Gaṇḍavyūhasūtra*, *Kāraṇḍavyūhasūtra,* *Karuṇapuṇḍarīkasūtra,* *Lalitavistarasūtra, Laṅkāvatārasūtra,* *Saddharma-puṇḍarīkasūtra,* *Samādhirājasūtra, Saṃdhinirmocanasūtra, Shālistambasūtra,* que se encuentra incluido en este mismo libro, *Shūraṅgamasamādhisūtra, Sukhāvatīvyūhasūtra,* que se encuentra incluido en este mismo libro en su versión breve, *Suvarṇaprabhāsottamasūtra,* etc.

El texto del Bhavasaṅkrāntisūtra

No se ha conservado el texto sánscrito original del *Bhavasaṅkrāntisūtra.* Existen tres traducciones chinas del mismo, *Taishō* 575, 576 y 577 (Nanjio 285, 284 y 526 respectivamente; *Répertoire*, p.61), realizadas respectivamente por Bodhiruci (que vivió en China entre 508-537), Buddhashānta (que trabajó en China entre 525-539) e I Tsing (635-713); y una tibetana, *Tōhoku* 226, *Catalogue* 892, realizada por Jinamitra, Dānashīla y Ye-śes sde.

Se han conservado fragmentos del texto sánscrito original bajo la forma de citas o incluidos dentro de otros textos con ligeras variantes. Ver notas 21, 22, 31, 34, 36, 37, 42, 44.

Ediciones y traducciones modernas del Bhavasaṅkrāntisūtra

N. Aiyaswami Sastri, en *Journal of Oriental Research*, Madras, Vol. V, Nº 4, 1931, pp.246-260: contiene la edición del texto tibetano (ed. Narthang), con una reconstrucción sánscrita del texto a partir de la traducción tibetana y una traducción al inglés de la misma.

G. Stramigioli, "Bhavasaṅkrānti", en *Rivista degli Studi Orientali*, Roma, XVI, 1936, pp.294-306: contiene la edición del texto tibetano de un manuscrito del monasterio de Toling, del siglo XIII o XIV, que es copia de uno más antiguo, probablemente de los siglos X-XI, con una traducción al italiano de la traducción tibetana y otra de la traducción china de I Tsing (*Taishō* 577).

N. Aiyaswami Sastri, *Bhavasaṅkrānti Sūtra and Nāgārjuna's Bhavasaṅkrānti Sūtra, with the Commentary of Maitreyanātha*, Madras, 1938 (Adyar Library): contiene la reconstrucción sánscrita del texto a partir de la traducción tibetana y de las traducciones chinas, la edición del texto tibetano (ed. Narthang, colacionado con ed. Peking) y la traducción al inglés de las tres traducciones chinas y de la traducción tibetana.

C.Dragonetti, *Bhavasaṅkrāntisūtra*, Buenos Aires, Centro de Investigaciones Filosóficas, en la Serie *Textos sánscritos, tibetanos y chinos del Budismo Mahāyāna*, 1977: contiene el texto tibetano sobre la base de la edición de Stramigioli, el texto de las citas sánscritas y la traducción española de la traducción tibetana.

F.Tola and C.Dragonetti, "Bhavasaṅkrāntisūtra", en *El Budismo Mahāyāna. Estudios y Textos*, Buenos Aires: Editorial Kier, 1980: contiene una nueva traducción española realizada sobre la base de la edición del texto tibetano de Aiyaswami Sastri ya mencionada.

Forma y constitución del texto del Bhavasankrāntisūtra

Con el nombre de *Bhavasankrānti* existen dos obras budistas diferentes: 1. el *Bhavasankrāntisūtra*, un *Sūtra* atribuido a *Buda*, y 2. la *Bhavasankrānti*, un *Shāstra* atribuido a Nāgārjuna,[1] cuyo texto original sánscrito no se ha preservado y que es conocido sólo gracias a sus tres traducciones tibetanas (*Tōhoku* 3840, 4162 y 4558, *Catalogue* 5240, 5662 y 5472), y a su traducción china (*Taishō* 1574, Nanjio 1305, *Répertoire*, p.134).

El *Bhavasankrāntisūtra* contiene, tanto en su traducción tibetana como en sus tres versiones chinas, una parte en prosa y una parte en verso; la *Bhavasankrānti* de Nāgārjuna es un pequeño tratado en verso compuesto por 16, 19 ó 21 estrofas, según las recensiones. Estos dos textos tienen en común algunas de las estrofas: 1 = 11, 3c, d y 4 = 12, 5 = 13, 6 = 14, 7 = 15.[2]

¿Cómo se explicaría la presencia de estrofas comunes en el *Sūtra* y en el pequeño tratado de Nāgārjuna? Es muy difícil dar una respuesta a ciencia cierta a esta pregunta. Al respecto nos atrevemos a sugerir la siguiente hipótesis. Creemos que el *Sūtra* original estaba compuesto sólo por la parte en prosa, que trata de la transmigración o "pasaje" de una existencia a otra (con una breve referencia, al final, a la doctrina de la Vaciedad). Existía así perfecta adecuación entre el tema y el título de la obra. Posteriormente a la parte en prosa le fueron agregadas las estrofas, que tratan de la "Vaciedad" de todo, tesis principal de la escuela Madhyamaka; algunas de las estrofas fueron tomadas del tratado de Nāgārjuna. Este aditamento fue realizado por algún autor de la escuela Madhyamaka en su deseo de establecer una conexión más estrecha entre el *Sūtra* y su escuela, de la misma manera como otro autor de la misma escuela reemplazó el comienzo y el final propios del *Shālistambasūtra* por un comienzo y un final que relacionaba ese *Sūtra* más estrechamente con su escuela, transformándolo en el *Madhyamakaśālistambasūtra*.[2] Ver la Introducción del *Shālistambasūtra*, sección *El texto del Shālistambasūtra* en este mismo libro. La inclusión de las estrofas fue obviamente hecha antes del 500 d.C. (fecha en que se realiza la primera traducción china del *Sūtra*) y por lo tanto los autores chinos y tibetanos conocieron ya el *Sūtra* ampliado, tal como ha llegado hasta nosotros a través de sus traducciones.

Nuestra hipótesis explicaría no sólo el hecho de la inclusión de estrofas de Nāgārjuna en el *Sūtra*, sino también la falta de conexión entre el tema tratado en la parte en prosa (la *saṅkrānti*, "pasaje", "transmigración") y el que tratan las estrofas (la *shūnyatā*, "Vaciedad").

Se puede sostener que la *Bhavasaṅkrānti* de Nāgārjuna no contiene nada en sus estrofas que justifique su nombre, ya que el tema central es el de la Vaciedad de todo, sin ninguna mención de la teoría de la *saṅkrānti*, y que fue el hecho de que las estrofas contenidas en el *Sūtra* aparecieran también en el *Shāstra* de Nāgārjuna, lo que habría llevado a denominar a esta última obra con el nombre del *Sūtra* que incluía esas estrofas.

*Ubicación del Bhavasaṅkrāntisūtra
dentro de la literatura budista*

Los títulos de dos de las versiones chinas (*Taishō* 575 y 577) y el título chino consignado por *Tōhoku* 226 y *Catalogue* 892 [3] inducen a pensar que el *Sūtra* era considerado mahāyānista por los traductores chinos. El título de la versión tibetana[4] existente lo considera también un *Sūtra* del Mahāyāna. El diccionario sánscrito-tibetano del siglo IX, denominado *Mahāvyutpatti*, sub 1379, lo menciona como uno de los antiguos *Sūtras* de la literatura del Budismo Mahāyāna. Por último, autores mahāyānistas como Asaṅga (*Bodhisattvabhūmi*), Candrakīrti

(*Prasannapadā* y *Madhyamakāvatāra*), Shāntideva (*Shikṣāsamuccaya*), Prajñākaramati (*Pañjikā*), Haribhadra (*Āloka*) y Shāntarakshita (*Tattvasaṅgraha*) lo citan frecuentemente e *in extenso* en sus obras.[5]

Tal como nos ha llegado el *Bhavasaṅkrāntisūtra* puede ser efectivamente considerado un *Sūtra* (independiente) del Budismo Mahāyāna y de aquellos susceptibles de ser elegidos preferentemente por la escuela Madhyamaka, ya que tanto en la prosa como especialmente en las estrofas aparece el tema de la Vaciedad de todo, tema preponderante de dicha escuela.

Contenido doctrinario del *Bhavasaṅkrāntisūtra*

El texto tal como nos ha llegado a través de sus traducciones chinas y tibetana consta de dos partes bien netamente diferenciadas en lo que al contenido se refiere.

En la primera parte, en prosa, los temas tratados son, por un lado, la reaparición de las acciones en la mente en el momento de la muerte y, por otro lado, la transmigración o "pasaje" (*saṅkrānti*) de la existencia (*bhava*), con una ligera referencia a la "Vaciedad". De estos dos temas es el segundo el que da su título al *Sūtra*. En la segunda parte, en verso, el tema tratado es la teoría de la *shūnyatā*, "Vaciedad". Nos referiremos a cada uno de ellos a continuación.

La reaparición de las acciones en la mente en el momento de la muerte

La pregunta, que el rey Bimbisāra de Magadha le plantea a *Buda* y que da origen al diálogo, es la siguiente: ¿De qué manera las acciones realizadas por un hombre en el curso de su vida, y que desaparecen apenas son llevadas a cabo, se manifiestan en la mente en el momento de morir? *Buda* le contesta que esa reaparición tiene lugar de la misma manera como la imagen de la hermosa mujer, con la cual un hombre soñó y que es completamente inexistente, reaparece en la mente del hombre cuando despierta. *Buda* acepta, pues, la reaparición de las acciones en la mente en el momento de morir y presenta como explicación de su posibilidad el caso análogo de la rememoración de un sueño. Entonces *Buda* compara al hombre que se apega a las formas agradables que percibe con el hombre que se enamora de la hermosa mujer vista en su sueño.

Con todo *Buda* no explica en el texto el *propósito* de la reaparición de las acciones en la mente en el momento de la muerte ni la *razón* por la cual ellas reaparecen. Pensamos que las respuestas a ambas cuestiones tiene que hacer con la doctrina del *karman* y el tema de la transmigración. Probablemente las acciones pasadas (naturalmente como rememoración o ideas) reaparecen en la mente del hombre que está muriendo con miras a determinar la nueva existencia que está por comenzar en la serie de renacimientos que corresponde al hombre que está muriendo. Esta explicación se relaciona con la creencia de que los últimos pensamientos de un hombre que está muriendo son decisivos para determinar el renacimiento que él tendrá después de su muerte. Esta creencia es válida tanto en el Hinduismo como en el Budismo.[6] Y las acciones reaparecen en virtud de la inherente fuerza del *karman*.

El mecanismo de la transmigración

Este tema constituye indudablemente el más interesante de este *Sūtra*. Exponemos a continuación con cierto detalle cómo se debe entender el mecanismo del pasaje de una existencia a otra de acuerdo con el *Bhavasaṅkrāntisūtra* y el *Shālistambasūtra*, que representan la posición budista ortodoxa.

No existe ninguna entidad (alma, *pudgala*, espíritu, conciencia, *dharma*) que pase de una existencia a otra.[7] Esta es la posición ortodoxa reconocida por la mayoría de las sectas budistas; sólo la secta de los

Vātsiputrīyas, y otras escuelas derivadas de ellos, postuló la existencia de un *pudgala*, de una especie de *ātman* (alma), que apoyado en los *skandhas* pasaba de una existencia a otra.[8] Esta tesis de los *pudgalavādins* (sostenedores del *pudgala*) fue rechazada por las demás sectas budistas.

Desde el punto de vista budista no se da una sola conciencia que existe, que se mantiene durante el curso de la vida de un hombre, sino una serie o sucesión de conciencias o estados de conciencia (percepciones, sensaciones, voliciones, etc. acompañadas de la misma concienca de "yo") que se siguen unos a otros relacionados, ligados entre sí por la ley de causalidad. Este "río-de-la-conciencia (*vijñānasrotas*)" o sea la serie-de-conciencias[9] que constituyen al individuo, no se detiene con la muerte, si el individuo que muere ha realizado actos que tienen como consecuencia una nueva "reencarnación". En este caso, una de esas conciencias viene a ser la *última* conciencia (*caranaṃ vijñānam*), no de toda la serie-de-conciencias, sino de un segmento de esa serie, que es concebido como una vida o una existencia; la conciencia que le sigue, ligada a la anterior por la ley de la causalidad y perteneciente a la misma serie-de-conciencias, viene a ser la *primera* conciencia (*prathamaṃ vijñānam*) de un nuevo segmento de esa serie, que es concebida como una nueva vida o una nueva existencia. La cesación de la última conciencia y el surgimiento de la primera conciencia son simultáneos, como la subida y la bajada de los brazos de una balanza. La última conciencia es concebida como la muerte, la primera como el nacimiento.

La relación de la última conciencia de un segmento (existencia) de la serie-de-conciencias con la primera conciencia del segmento (existencia) siguiente es la misma que existe en el curso de la vida de un individuo, entre cualquier conciencia y la que le sigue, con las siguientes salvedades: para el caso del pasaje desde un segmento (existencia) de la serie a otro segmento, juntamente con la última conciencia se produce el comienzo del aniquilamiento del componente material (cuerpo) propio del segmento (existencia) que concluye y, conjuntamente con la primera conciencia se produce el comienzo del surgimiento de un nuevo componente material (cuerpo) propio del segmento (existencia) que se inicia. La primera conciencia y las que le siguen, ligadas a ella por la ley de la causalidad y pertenecientes a la misma serie-de-conciencias, no van acompañadas del recuerdo de las experiencias vividas en los segmentos (existencias) anteriores de esa misma serie-de-conciencias.[10] Sólo hay una serie-de-conciencias que viene desde la eternidad y fluirá hasta que sea cortada gracias al acatamiento de los principios budistas, pero el aniquilamiento de los componentes materiales propios de un segmento y otro de la serie y la desaparición del recuerdo de las experiencias vividas en los segmentos anteriores de esa serie-de-conciencias oculta la continuidad *ab aeterno* de la serie y hace creer en la existencia de individuos que surgen sin ninguna conexión con nadie en el pasado, sin ninguna conexión con nadie en el futuro. Éste no fue el caso de *Buda*[11] y de otros como él que, gracias a un poder de rememoración extraordinario, obtenido con su gran desarrollo espiritual, sabían con qué individuos del pasado estaban ligados, por pertenecer todos a una misma serie-de-conciencias, por ser todos ellos productos surgidos en el mismo terreno de una serie-de-conciencias - como en el curso de una misma existencia el anciano sabe con qué niño de sesenta u ochenta años antes él estaba ligado por pertenecer él y ese niño a una misma serie-de-conciencias.

De esta manera este breve pero valioso *Sūtra* armoniza dos importantes principios, la "transmigración" y la no existencia de un yo permanente y eterno, dando una solución simple, sutil y elegante a la aparente paradoja de una "transmigración" sin un "transmigrador"; y, eliminando una aparente contradicción, permite un conocimiento más profundo del vasto tesoro de riquezas espirituales que es el Budismo.

Con respecto al problema del surgimiento del cuerpo este *Sūtra* sólo afirma que la primera conciencia surge encarnada en un nuevo cuerpo, que puede ser de dios, hombre, demonio o animal.

El *Shālistambasūtra* (parágrafo 20), texto incluido también en este libro al cual remitimos, explica cómo tiene lugar el surgimiento del nuevo cuerpo. Éste no es obra de un creador ni del azar ni surge de la nada. El nuevo cuerpo, su naturaleza y sus cualidades son producto de la conjunción de una serie de causas y condiciones necesarias para ello: unión del padre y de la madre, matriz apropiada, momento oportuno, elementos materiales, la propia primera conciencia, las anteriores existencias, etc. El nuevo cuerpo se produce y la nueva conciencia, que participa en su producción, surge encarnada en él, y no en otro, única y exclusivamente porque todos los factores enumerados así lo determinan. El surgimiento del nuevo cuerpo y la encarnación en él de la primera conciencia son un ejemplo más de la importancia de primer orden que tiene en el Budismo la noción de causalidad: "todo tiene causas", "todo produce efectos", "eliminada la causa, se eliminan sus efectos".

La Vaciedad [12]

El último tema tratado en este *Sūtra* es la tesis de de la Vaciedad (*shūnyatā*) y sus implicacioens: todas las cosas son "vacías", producto de una multiplicidad de causas, carentes de un ser propio, insustanciales, no existentes *in se et per se*; son sólo creaciones de la mente humana, productos de la imaginación y como tales no existen realmente; son sólo designaciones, nombres convencionalmente establecidos detrás de los cuales no existe realmente la cosa que ellos designan. La misma mente, la misma imaginación que crea la falsa realidad empírica en que nos movemos es también "vacía", no existe realmente. La imagen de la realidad empírica creada por nuestra mente nos oculta la verdadera naturaleza, la verdadera manera de ser – Vaciedad, ilusión – de la realidad empírica. Así lo que percibimos es llamado "realidad o verdad convencional" o "realidad o verdad de convención", "realidad o verdad relativa" o "realidad o verdad de ocultamiento" (*samvṛtisatya*). Desde el punto de vista de la verdad relativa se da el conocimiento y lo cognoscible, y en ella rigen las leyes y normas propias de la realidad empírica, pero en el plano de la verdad absoluta no existe ni el conocimiento ni su objeto ni las leyes y normas con que nos manejamos. Para una exposición más amplia acerca de la concepción de la Vaciedad de la escuela *Madhyamaka* remitimos a la bibliografía señalada en nota 12.

El presente trabajo

En el presente trabajo ofrecemos la traducción del texto tibetano del *Bhavāsaṅkrāntisūtra*, realizada sobre la edición *Sde-dge, Bkaḥ-ḥgyur, Mdo-sde,* Dsa. 175 a 6 – 177 a 3. Los números ante cada párrafo corresponden a las páginas (con sus números de líneas) de dicha edición.

En algunos lugares, que indicamos ahora, hemos adoptado una lectura diferente:

175 b 4 (fin de la línea): *chud mi ḥdzaḥ bar ḥdaḥ da* : edición Sastri; *Sde-dge* : *chab mi ḥthsal bar gdaḥ.*

176 a 3 (mitad de la línea): *ḥgag pa na* : ediciones Sastri y Stramigioli; *Sde-dge* : *ḥgag pa ni.*

176 b 3 (mitad de la línea): *mṅon pa* : corrección nuestra; *Sde-dge* : *mṅon paḥi.* Cf. 176 a 7 (comienzo de la línea).

Traducción

EL NOBLE SŪTRA DEL MAHĀYĀNA DENOMINADO "LA TRANSMIGRACIÓN DE LA EXISTENCIA"

Introducción

(175 a 6) Hé aquí lo que yo he oído decir. En cierta ocasión el *Bhagavant*[13] se encontraba en Rājagriha, en el Bosque de Bambús, en el Lugar de los Kalandakas,[14] en compañía de un gran grupo de *Bhikshus*,[15] de mil doscientos cincuenta *Bhikshus*, y de numerosos *Bodhisattvas*[16] *Mahāsattvas*.[17] Entonces, el *Bhagavant* **(175 b)**, estando completamente rodeado por muchos cientos de miles de seguidores, mirándolos de frente, exponía la Doctrina (*Dharma*) y enseñaba en su integridad la vida religiosa (*brahmacārya*), hermosa en su comienzo, hermosa en su medio, hermosa en su fin, buena en su sentido, buena en su expresión, íntegra, completamente realizada, completamente pura, completamente inmaculada.

Reaparición de las acciones en la mente
en el momento de la muerte

Entonces Shreṇiya Bimbisāra, el rey del país de Magadha, saliendo de la gran ciudad de Rājagriha con gran pompa real, con gran poder real, fue al Bosque de Bambús, a donde se encontraba el *Bhagavant*. Y, una vez ahí, rindiéndole homenaje inclinando la cabeza ante los pies del *Bhagavant*, haciendo el *pradakshina* [18] por tres veces, permaneció de pie a un lado. Y, estando de pie a un lado, Shreṇiya Bimbisāra, el rey del país de Magadha, le dijo así al *Bhagavant*: "Oh *Bhagavant*, ¿de qué manera las acciones, habiendo desaparecido una vez realizadas y acumuladas,[19] desaparecidas durante largo tiempo, se manifiestan en la mente, estando cercano el momento de la muerte? Siendo todos los *saṃskaras* [20] vacíos, ¿de qué manera las acciones pasan sin destruirse?"

Habiendo hablado así Shreṇiya Bimbisāra, el rey del país de Magadha, el *Bhagavant* le dijo así: "Oh gran rey,[21] así como por ejemplo un hombre que duerme sueña que goza sobremanera con una hermosa mujer del lugar, y al despertar de aquel sueño, recuerda a aquella hermosa mujer del lugar - ¿tú qué piensas, oh gran rey? ¿existe acaso aquella hermosa mujer del lugar vista en el sueño?"

(El rey) dijo: "Oh *Bhagavant*, ella no existe".

El *Bhagavant* dijo: "Oh gran rey, ¿tú qué piensas?: ¿aquel hombre que desea ardientemente a la hermosa mujer del lugar vista en el sueño, es acaso sensato?"

(El rey) dijo: "Oh *Bhagavant*, él no lo es. Si se pregunta por qué no lo es, oh *Bhagavant*, (se puede contestar: porque) la hermosa mujer del lugar vista en el sueño es totalmente inexistente y no puede ser percibida; y **(176 a)** (sin embargo) él sigue pensando en gozar con ella; así aquel hombre, privado de ella, tiene un destino de sufrimiento."

El *Bhagavant* dijo:[22] "Oh gran rey, de la misma manera, el hombre del común, necio e ignorante, al ver con su ojo las formas, desea vehementemente las formas que resultan agradables a su mente; al desearlas vehementemente se apega a ellas; al apegarse, se apasiona por ellas; al apasionarse, realiza con el cuerpo, la palabra y la mente acciones nacidas de la pasión, nacidas de la aversión y nacidas de la confusión mental. Aquellas acciones, una vez realizadas, desaparecen.

Y, habiendo desaparecido, no se encuentran en el este ni se encuentran en el sur ni se encuentran en el oeste ni se encuentran en el norte ni se encuentran arriba ni se encuentran abajo ni se encuentran en ninguna otra dirección del espacio. Pero en cualquier otro tiempo, en el momento cercano al tiempo e instante de la muerte, al consumirse el *karman* [23] correspondiente (a la vida en curso), en el momento de la desaparición de la última conciencia, las acciones (*karman*) aparecen en la mente (del hombre que muere) como la hermosa mujer del lugar (en la mente) del hombre que despierta del sueño.

El mecanismo de la transmigración

Oh gran rey, así al desaparecer la última conciencia, la primera conciencia que forma parte del (nuevo) nacimiento surge - o bien en un dios o bien en un hombre o bien en un *Asura* [24] o bien en seres infernales o bien en animales o bien en *pretas*.[25] Oh gran rey, inmediatamente después de desaparecer la primera conciencia, surge la serie de conciencias (que le sigue a la primera conciencia y) que corresponde (a la vida que está comenzando), en la cual será experimentada la maduración (o consecuencia de las acciones realizadas en vidas anteriores).[26] Oh gran rey, entonces ningún *dharma*[27] pasa de este mundo al otro mundo, y sin embargo la muerte y el nacimiento se manifiestan. Oh gran rey, se llama 'muerte' a la desaparición de la última conciencia **(176 b)**; se llama 'nacimiento' al surgimiento de la primera conciencia. Oh gran rey, en el momento de su desaparición la última conciencia no pasa a ningún lugar; en el momento de su surgimiento la primera conciencia que forma parte del (nuevo) nacimiento tampoco viene de ningún lugar. Si se pregunta ¿por qué?, (contesto:) en razón de su carencia de ser propio.[28] Oh gran rey, la última conciencia es vacía (del ser propio) de última conciencia, la muerte es vacía (del ser propio) de muerte, la acción es vacía (del ser propio) de acción, la primera conciencia es vacía (del ser propio) de primera conciencia, el nacimiento es vacío (del ser propio) de nacimiento, y sin embargo las acciones se manifiestan sin destruirse.[29] Oh gran rey, inmediatamente después de desaparecer la primera conciencia que forma parte del (nuevo) nacimiento, sin solución de continuidad, surge la serie de conciencias en la cual será experimentada la maduración (o consecuencia de las acciones realizadas en vidas anteriores)".

Así dijo el *Bhagavant.* Después de haber hablado así el Bien Encaminado, el Maestro dijo estas otras palabras:

(176 b 4) 1. Todas las cosas son sólo nombre,[30]
se encuentran sólo en el pensamiento,
separado de la palabra
lo que ella designa no existe.[31]

2. Cualquier *dharma* es designado
por cualquier nombre,[32]
pero en éste aquél no existe:[33]
ésta es la esencia de los *dharmas.*[34]

3. El mismo nombre es vacío de nombre,[35]
el nombre en cuanto nombre no existe;
todos los *dharmas,* carentes de nombre,
han sido designados mediante nombres.[36]

4. Siendo todos los *dharmas* inexistentes,
   surgen por entero de la imaginación;
   la misma imaginación
   por la cual ellos son imaginados como vacíos,
   tampoco ella existe.[37]

5. Lo que un hombre que ve correctamente dice:
   "el ojo ve la forma"[38]
   en este mundo dominado por el error,
   eso es llamado "la verdad de ocultamiento".[39]

6. Lo que el Guía[40] con razón ha enseñado:
   "la visión surge gracias a un agregado"[41] –
   a aquello el Sabio[40] lo ha llamado
   "el terreno de acceso a la verdad suprema".[42]

7. El ojo no ve formas,
   la mente no conoce ideas[43] –
   ésta es la verdad suprema
   de la cual carece el mundo.[44]

(177 a) Habiendo hablado así el *Bhagavant*, Shreṇiya Bimbisāra, el rey del país de Magadha, y aquellos *Bodhisattvas* y aquellos *Bhikshus* y los dioses y los hombres y los *Asuras* y el mundo junto con los músicos celestiales se regocijaron y alabaron mucho las palabras del *Bhagavant*.

(Aquí) termina el Noble Sūtra del Mahāyāna denominado: "La transmigración de la existencia".

NOTAS

1   Muy probablemente este tratado no fue escrito por Nāgārjuna. D. Seyfort Ruegg, *The Literature of the Madhyamaka School of Philosophy in India*, Wiesbaden: O.Harrassowitz, 1981, p.29, nota 64, piensa que es probable que este tratado no sea de Nāgārjuna sino de otro autor tardío. Chr. Lindtner, *Nagarjuniana*, Copenhagen: Akademisk Forlag, 1982, considera que este tratado es uno de los "textos dudosos", "quizás auténtico" (*"dubious texts, perhaps authentic"*) en su clasificación de los textos atribuidos a Nāgārjuna de acuerdo con su autenticidad.

Este tratado fue incluido por N. Aiyaswami Sastri en su edición del *Bhavasaṅkrāntisūtra* ya mencionada (texto tibetano, reconstrucción sánscrita y traducción inglesa). C. Dragonetti, *Bhavasaṅkrāntiparikathā de Nāgārjuna*, Buenos Aires: Centro de Investigaciones Filosóficas, 1977, editó el texto tibetano acompañado de una traducción al español. En F. Tola y C. Dragonetti, *Budismo Mahāyāna. Estudios y Textos*, Buenos Aires: Kier, 1980, pp.102-123, se encuentra incluida una nueva traducción española de este texto a partir de la versión tibetana.

2   Este texto ha sido editado por V.V. Gokhale en P.L. Vaidya (ed.), *Mahāyāna-Sūtra-Saṃgraha*, Darbhanga: The Mithila Institute, 1961, pp.107-116.

3   *Taishō* 575: *Ta fang teng sieou to lo wang king*. *Taishō* 577: *Ta tch'êng lieou tchouan tchou yeou king* y *Tōhoku* 226 y *Catalogue* 892. (*Ta tch'êng* = *Mahāyāna*). (Las transcripciones chinas son las del *Hōbogirin*).

4   *Tōhoku* 226 = *Catalogue* 892: *Ḥphags-pa srid-pa ḥpho-ba śes-bya-ba theg-pa chen-poḥi mdo*. (*Theg-pa chen-po* = *Mahāyāna*).

5   Ver notas 21, 22, 31, 34, 36, 37, 42, 44 para estas citas.

6   Ver H. von Glasenapp, *Immortality and Salvation in Indian Religions*, Calcutta: Susil Gupta, 1963, p.50, y J.P. McDermott, "Karma and Rebirth in Early Buddhism", en W.D. O´Flaherty, *Karma and Rebirth in Classical Indian Tradition*, Delhi: Motilal Banarsidass, 1983, pp.177-178. Cf. *Bhagavad Gītā* VIII, 5-13.

7   Sobre el importantísimo principio de que "ningún *dharma* (ver nota 27) pasa de este mundo a otro mundo", expresado en el *Bhavasaṅkrāntisūtra* (fin de la sección en prosa) y en el *Shālistambasūtra,*   parágrafo   22,   ver   también *Pratītyasamutpādahṛdayakārikā*, atribuido a Nāgārjuna, estrofa 5 (en *Revista de Estudios Budistas* Nº 12, México-Buenos Aires, 1998, pp.54-63) y comentario (en sánscrito y tibetano) *ad locum*; Vasubandhu, *Abhidharmakośa* III, 18.

8   Sobre los *Vātsiputrīyas* ver los trabajos de C. Dragonetti, publicados en la Serie *Materiales para el estudio de la doctrina del* pudgala *de la secta* Vātsiputrīya *del Budismo Hīnayāna* del Centro de Investigaciones Filosóficas CIF, Buenos Aires, 1974-1975, Bhikshu

Thich Thien Chau, *The Literature of the Personalists (Pudgalavādins) of early Buddhism*, Vietnam: Buddhist Research Institute, s.f. y A. Bareau, *Les sectes bouddhiques du Petit Véhicule*, Saigon: École Française d´Extrême-Orient, 1955.

9   Cf. F.Tola y C.Dragonetti, "Anāditva or beginninglessness in Indian Philosophy", en *Annals of the Bhandarkar Oriental Research Institute*, Vol. 61, 1980, pp.1-20.

10   Sobre el recuerdo de las existencias anteriores ver P. Demiéville, "Sur la mémoire des existences antérieurs", en *Bulletin de l'École Française d'Extrême Orient*, 27, 1928, pp.283-298; G. Schopen, "The Generalization of an Old Yogic Attainment in Medieval Mahāyāna Sūtra Literature: Some notes on Jātismara", en *The Journal of the International Association of Buddhist Studies*, Vol.6, N°1, 1983, pp. 109-147.

11   Al recuerdo que tiene *Buda* de sus existencias previas se refieren por ejemplo los *Jātakas*.

12   Sobre el concepto de Vaciedad tal como es desarrollado por Nāgārjuna, cf. F.Tola y C.Dragonetti, "Nāgārjuna´s Conception of `Voidness´(*Śūnyatā*)", en *Journal of Indian Philosophy*, Vol. 9, N° 3, 1981, pp.273-282; C.Dragonetti "An Indian Philosophy of Universal Contingency", en S.R. Bhatt (ed.), *Glimpses of Buddhist Thought and Culture*, *Key-note addresses and Papers*, First International Conference on Buddhism and National Cultures, New Delhi, 1984; C. Dragonetti, "An Indian philosophy of universal contingency: Nāgārjuna´s school", en *Journal of Indian Council of Philosophical Research*, Vol. IV,

Number 2, Spring 1987, pp. 113-124; C. Dragonetti, "Tres aspectos del Budismo: Hīnayāna, Mahāyāna, Ekayāna", en *Revista de Estudios Budistas* REB, Nº 1, México-Buenos Aires, 1991; F. Tola y C. Dragonetti, *Nihilismo Budista. La doctrina de la Vaciedad*, México: Premiá Editora, 1990, y *On Voidness. A Study of Buddhist Nihilism*, Delhi: Motilal Banarsidass, 2002 (Buddhist Tradition Series Volume 23) (Segunda edición revisada de la anterior obra, que incluye los textos originales en sánscrito y tibetano).

13   Epíteto frecuente de *Buda* que significa: "afortunado", "ilustre", "sublime", "señor".

14   De acuerdo con los textos pālis el lugar se denominaba *Kalandakanivāpa*, se encontraba en Veluvaṇa (Bosque de Bambús) cerca de la ciudad de Rājagāha (= sánscrito Rājagriha), y en él se daba regularmente de comer a las ardillas. Según las fuentes tibetanas el nombre es *Kalantaka* y sería el nombre de un pájaro.

15   Monjes budistas.

16   Sobre el *Bodhisattva*, ser que ha hecho el voto de llegar a la Iluminación (*bodhi*), ver la nota 5 del *Shālistambasūtra* incluido en este mismo libro.

17   Es decir, Grandes Seres, epíteto corriente de los *Bodhisattvas*.

18   Signo de respeto consistente en dar la vuelta alrededor de una persona, dándole siempre el lado derecho.

19   Las acciones una vez realizadas desaparecen, terminan, pero dejan tras de sí las huellas o semillas (*bīja*) de buenos o malos efectos según ellas hayan sido desde el punto de vista moral. Son los efectos diferidos de las acciones que uno realiza. Esos efectos diferidos, esas consecuencias de la acción, esos frutos del acto, esos residuos, permanecen acumulados en forma latente, como potencialidades que se actualizan en una nueva existencia o reencarnación, dando lugar a buenas o malas experiencias que son el premio o el castigo de las acciones antes realizadas.

20   Sobre el término *saṃskāra* ver nota 9 del *Shālistambasūtra*. De los sentidos señalados en esa nota, en este contexto, le corresponde al término *saṃskāra* el mencionado en sexto lugar, es decir: "cosa condicionada", término éste que se aplica a todos los seres y todas las cosas.

21   El texto tibetano, p. 175 b 5 (mitad de la línea) hasta p. 176 b 3 (comienzo de la línea) que corresponde a nuestra traducción desde "Oh gran rey..." (donde se encuentra el número 22 de nota) hasta "...las acciones se manifiestan sin destruirse" (donde se encuentra el número 29 de nota), es citado en el *Madhyamakāvatāra* de Candrakīrti, p.127, línea 17- p. 129, línea 17 (ed. L. de la Vallée Poussin). Esta última obra sólo se conserva el texto de la traducción tibetana. El pasaje del texto citado es expresamente atribuido al *Bhavasankrāntisūtra*.

22   El texto sánscrito original que corresponde al texto tibetano desde p. 176 a 1 (mitad de la línea) hasta p. 176 b 3 (final de la línea), y a nuestra traducción desde "El *Bhagavant* dijo:..." (donde se encuentra el número 22 de nota) hasta "...en la cual será experimentada la

maduración la maduración (o consecuencia de las acciones realizadas en vidas anteriores)" (fin de la prosa), es citado por Prajñākaramati, *Pañjikā*, p.224, línea 20 - p.225, línea 8 (ed. P.L. Vaidya). El fragmento citado es atribuido al *Pitāputrasamāgamasūtra*. Es también citado por Shāntideva, *Shikṣāsamuccaya*, p.252, línea 3 – p.253, línea 13 (ed. C. Bendall), sin indicación de su proveniencia.

23   El término *karman* básicamente designa: 1. las acciones llevadas a cabo por el hombre; 2. las consecuencias o efectos diferidos de dichas acciones que dan origen a una nueva existencia y determinan el carácter de ésta, y 3. el destino del hombre en su nueva existencia. En este caso debemos tomarlo en el segundo significado anotado, es decir designa a las consecuencias de la acción, a la retribución de los actos, dogma esencial del Budismo. Cuando los efectos diferidos, que dieron lugar a la nueva existencia, se consumen, esa existencia termina. El texto indica a continuación que el hombre, al morir, recuerda las acciones realizadas (primer significado del término *karman*) aunque éstas hayan ya desaparecido. El texto seguidamente menciona los tipos de reencarnaciones que le pueden tocar al hombre: dios, hombre, *Asura*, ser infernal, animal o difunto.

24   Enemigos de los dioses.

25   Difuntos famélicos.

26   Con la desaparición de la primera conciencia se inicia la serie de estados de conciencia propia del individuo que nace. En esa serie serán experimentados, vividos, los efectos diferidos de las acciones llevadas a cabo en la existencia anterior.

27   La palabra *dharma*, entre sus múltiples sentidos, significa especialmente: 1. la Doctrina (de *Buda*) y 2. los factores o elementos de existencia, cuya reunión da lugar a todo lo que existe. Cuando aparece en el presente *Sūtra* el término *dharma* debe ser tomado en su segundo sentido. Sobre este último significado del término *dharma*, ver F. Tola y C. Dragonetti, "La doctrina de los dharmas en el Budismo", en *Yoga y Mística de la India*, Buenos Aires: Kier, 1978, pp.91-121.

28   Nada posee un ser propio, una existencia *in se et per se*, una sustancia, todo es condicionado, producto de múltiples causas y condiciones.

29   La última conciencia carece de ser propio y específicamente carece del ser propio que como última conciencia le correspondería: "el-ser-propio-de-última-conciencia"; lo mismo ocurre con la muerte, la acción, la primera conciencia, el nacimiento. A pesar de no tener un ser propio "que pase de una existencia a otra" – a la manera de un *ātman*, alma o espíritu – las acciones no desaparecen del todo, no son destruidas, ya que subsisten en sus efectos, que permanecen en forma latente, potencial, y que "reaparecen" como dice el texto, actualizándose en la existencia siguiente. El mantenimiento de las acciones, el proceso de la transmigración, la concepción de la conciencia y el mecanismo de las *vāsanās* o impresiones subliminales (cf. F. Tola y C. Dragonetti, "La estructura de la mente según la escuela idealista budista", en *Revista de Estudios Budistas* Nº 4, México-Buenos Aires, 1992, pp.51-74) tienen su explicación última en la teoría de los *dharmas*, propia, característica y central del Budismo: todo está constituido por *dharmas* o factores de la existencia; los *dharmas* son insustanciales, impermanentes, instantáneos: no bien surgen, desaparecen dando lugar al surgimiento de

otro *dharma* de la misma naturaleza que el anterior, repitiéndose con éste el mismo proceso, y así sucesivamente en una serie ininterrumpida. El vínculo que une entre sí a los *dharmas* en la serie o corriente que ellos constituyen es la ley de la causalidad. Las acciones, sus efectos, la conciencia, las *vāsanās* son *dharmas* y se comportan como tales (cf. el artículo citado en la nota 27).

30   La cosa "carro" no existe; "carro" es sólo una palabra que designa a un conglomerado de piezas (eje, ruedas, timón, etc.); las cosas, siendo sólo palabras, existen únicamente en la mente.

31   El texto sánscrito de esta estrofa es citado por Haribhadra, *Āloka*, p.294, líneas 23-24 (ed. P.L. Vaidya), cf. *Laṅkāvatārasūtra* III, 78, p.76, líneas 5-6 (ed. P. L. Vaidya); tanto en el *Āloka* de Haribhadra como en el *Laṅkāvatārasūtra* el fragmento es citado sin indicación de su origen. Además la estrofa es parcialmente citada en el *Acintyastava*, estrofa 35, un himno atribuido a Nāgārjuna, como dicha por el propio *Buda*. Ver F. Tola y C. Dragonetti, "Nāgārjuna´s Catustava", en *Journal of Indian Philosophy* 13, 1985, p.17.

32   Cualquier *dharma* puede ser designado por cualquier nombre, ya que no existe una relación esencial y permanente entre las palabras y las cosas que ellas designan por ser las palabras meras designaciones convencionales.

33   Es decir el *dharma* no existe en el nombre. No hay identidad entre la palabra y la cosa que ella designa.

34   Esta estrofa es citada por Asaṅga, *Bodhisattvabhūmi*, pp.33, líneas 1-2 (ed. N. Dutt) y atribuida expresamente al *Bhavasaṅkrāntisūtra*, es también citada por Shāntarakshita, *Tattvasaṃgraha*, Vol. I, p.15, líneas 13-14 y Vol. I, p.339, las últimas dos líneas (ed. D. Shastri, Varanasi, 1968), sin indicación de su proveniencia.

35   El nombre carece del ser propio de nombre. Ver nota 29.

36   Esta estrofa es citada por Shāntideva, *Shikṣāsamuccaya*, p.241, líneas 13-14 (ed. C. Bendall) y atribuida a Lokanātha (*Vyākaraṇa*).

A pesar de ser inexistentes los *dharmas* han sido designados por nombres convencionalmente elegidos.

37   Esta estrofa es citada por Prajñākaramati, *Pañjikā ad* IX, 141, p.267, líneas 27-28 (ed. P.L. Vaidya) sin indicación de su proveniencia y está incluida en el himno *Acintyastava* 36 de Nāgārjuna. Cf. *Laṅkāvatārasūtra* X, 10, p.107, líneas 21-22 (ed. P. L. Vaidya).

38   Es un error - sólo una verdad relativa o de ocultamiento - creer que "el ojo ve las formas", ya que lo único que tiene ante sí es un conjunto de *dharmas* (elementos constitutivos de lo existente) que capta erróneamente como algo unitario y sustancial. Cf. F. Tola y C. Dragonetti, "Dignāga´s Ālambanaparīkṣāvṛtti", en *Journal of Indian Philosophy* 10, 1982, pp.109-110.

39   La escuela filosófica *Madhyamaka* del Budismo Mahāyāna niega la existencia verdadera de la realidad empírica en su totalidad. La

realidad empírica, que se presenta ante nosotros como unitaria, compacta, autónoma, permanente (ver nota 42) es sólo una apariencia, un fenómeno que carece de existencia verdadera, semejante a un sueño, a un espejismo, a una creación mágica. La realidad empírica es denominada "realidad de envolvimiento" o "realidad de ocultamiento" (en sánscrito: *samvrtisatya*, en tibetano: *kun rdsob bden pa*), ya que de acuerdo con la concepción mādhyamīka, la realidad empírica envuelve o oculta la realidad verdadera, la Vaciedad. De hecho la realidad empírica es la verdadera realidad erróneamente percibida. Y a su vez la verdadera realidad es sólo la verdadera manera de ser, la verdadera naturaleza de la realidad empírica: Vaciedad.

40   *Buda*.

41   La visión tiene lugar gracias a la cooperación de una serie de factores como son el objeto visto, la luz, el ojo, la conciencia, etc. y el objeto es sólo un conglomerado de *dharmas*.

42   La verdad suprema (en sánscrito: *paramārthasatya*, en tibetano: *don dam paḥi bden pa*) es la verdadera manera de ser de la realidad empírica: la condicionalidad, la relatividad, la dependencia, el ser algo compuesto. La realidad verdadera, que constituye la verdad suprema, es algo totalmente diferente de la realidad empírica, completamente al margen de la palabra y el pensamiento humanos, plenamente "heterogéneo". Para designarla se utilizan preferentemente los términos *shūnyatā*, "Vaciedad" y *shūnya*, "vacío", simples metáforas para señalar lo que queda a raíz de la abolición de la realidad empírica. La realidad verdadera está oculta o envuelta por la apariencia de ser algo unitario, permanente, macizo con que la realidad empírica se presenta ante la mente no ejercitada en el análisis mādhyamika. Saber que tenemos que

tratar con conglomerados, que esos conglomerados no existen como aparecen ante nosotros, que las partes de los conglomerados a su vez pueden ser analizadas y divididas en sus sub-partes y así sucesivamente, en un proceso analítico y abolitivo que nos conduce a la "Vaciedad" – este conocimiento es el medio de introducirnos en la Verdad Suprema, en la Realidad Verdadera de las cosas.

Esta estrofa es citada por Candrakīrti, *Prasannapadā* ad III, 8, p.46, líneas 12-13 (ed. P.L. Vaidya) (= p.120 ed. L. de la Vallée Poussin) y atribuida a *Buda*.

43 En realidad no se da un ojo existente en sí y por sí, que vea formas existentes en sí y por sí, o una mente, existente en sí y por sí, que conozca las *creaciones mentales*, las *ideas* (otro sentido de la palabra *dharma*) existentes en sí y por sí. Lo único que se da es un ojo y una mente condicionados, compuestos por múltiples elementos, irreales, que perciben *formas* y *dharmas* condicionados, compuestos, irreales.

44 Según la lectura *ḥphrogs* del texto de G. Stramigioli. *Sde-dge* y Sastri tiene *dpogs*.

Esta estrofa es citada por Candrakīrti, *Prasannapadā*, p.46, líneas 10-11 (ed. P. L. Vaidya) (= p.120 ed. L. de la Vallée Poussin) y atribuida a *Buda*.

BIBLIOGRAFÍA

Catalogue: The Tibetan Tripiṭaka, Peking Edition - kept in the Library of the Otani University, Kyoto- . Reprinted under the supervision of the Otani University, Kyoto. Edited by Dr.D.T. Suzuki, *Catalogue & Index*, Tokyo, Suzuki Research Foundation, 1962.

Bunyiu Nanjio, *A Catalogue of the Chinese Translation of the Buddhist Tripitaka. The Sacred Canon of the Buddhists in China and Japan*, San Francisco: Chinese Materials Center, 1975.

Répertoire du Canon Bouddhique Sino-Japonais. Edition du Taishō (Taishō Shinshū Daizōkyō), Compilé par Paul Demiéville, Hubert Durt, Anna Seidel, Paris-Tōkyō, 1978.

Taishō: Taishō Shinshū Daizōkyō (The Tripiṭaka in Chinese). Revised, collated, added and rearranged, Together with Original Treatises by Chinese, Korean and Japanese Authors. Edited by Prof. Dr. J. Takakusu, Prof. Dr. K. Watanabe, First edition in 1927, Reprinted 1960. Published by The Taishō Shinshū Daizōkyō Kanko Kai (Society for the Publication of the Taishō Tripiṭaka), Tokyo.

Tōhoku: A Complete Catalogue of the Tibetan Buddhist Canons (Bka-gyur and Bstan-gyur), edited by H. Ui, M. Suzuki, Y. Kanakura, T. Tada, Sendai (Japan), Tōhoku Imperial University aided by Sait Gratitude Foundation, 1934.

PA TA JEN KIAO KING

EL SŪTRA DE LOS OCHO CONOCIMIENTOS
DE LOS GRANDES SERES

PREDICADO POR BUDA

traducido de la versión china de
Ngan Che-kao con Introducción y Notas

Introducción

El texto

Al *Sūtra* que presentamos ahora le corresponde el número 779 de la edición *Taishō* (*Taishō Shinshū Daizōkyo*) del Canon Budista Chino. En el *Catálogo* de Nanjio tiene el número 512. Existen muchas ediciones de este *Sūtra* realizadas anteriormente en China Continental y actualmente en Taiwan. Este *Sūtra* recibe en la tradición china el nombre de *Pa ta jen kiao king*. Nanjio traduce este nombre por *Sūtra on the eight understandings of the great men (such as Buddhas and Bodhisattvas)*, "*Sūtra* de las ocho comprensiones o conocimientos de los grandes hombres (tales como los *Budas* y los *Bodhisattvas*)", que es una correcta traducción del título chino.

De este *Sūtra* sólo se conoce la traducción china. El texto original sánscrito no ha sido conservado. No existe traducción tibetana del mismo.

El traductor del Sūtra

El *Sūtra* fue traducido del sánscrito al chino por Ngan Che-kao (An Shi-kâo en Nanjio, An Seikō en japonés), según la información dada por el catálogo del Canon Chino, denominado *K'ai yuan che kiao lou* (*Taishō* 2154), compilado por Tche cheng que vivió del 669 al 740 d.C. Es el único catálogo que atribuye esta traducción a Ngan Che-kao. Esta atribución puede ser aceptada, pues el indicado catálogo es por lo general una fuente sumamente confiable. Los otros catálogos del Canon Budista Chino, como *Tch'ou san tsang ki tsi* (*Taishō* 2145), y *Ta t'ang nei tien lou* (*Taishō* 2149) y la crónica *Li tai san pao ki* (*Taishō* 2034) no mencionan la traducción de este *Sūtra* entre las traducciones que atribuyen a Ngan Che-kao.

Ngan Che-kao es un personaje importante e interesante en la historia del Budismo Chino. Es el más grande de los primeros traductores de textos budistas al chino. Era de origen parto. Sobre el Imperio Parto ver Cl. Huart, *L'Iran Antique*, pp.319-340. Ngan Che-kao llegó a Lo-yang (en China Occidental) en el año 148 y hasta el año 168 se consagró a la labor de traducir textos budistas al chino. Su actividad tuvo pues lugar durante la dinastía Han de China (206 a.C. a 220 d.C.). Estas fechas, corresponden al gobierno del rey parto Vologeses III que reinó del 148 al 191 d.C. Según las tradiciones chinas Ngan Che-kao fue un príncipe real parto; fascinado por el Budismo, renunció a sus derechos reales a favor de su tío, después de la muerte del rey su padre, e ingresó a la Orden Monacal Budista. El autor del catálogo *Tch'ou san tsang ki tsi* (*TaishŌ* 2145) alaba la excelencia de su carácter, la profundidad de su inteligencia y los múltiples aspectos de su talento. Tenía un amplio conocimiento de la literatura canónica budista. Fue el primero que organizó metódicamente la labor de traducción en China y fundó una escuela de traductores junto con su compatriota Ngan Hiuan y el monje chino Yen Fo-t'iao (P.Ch. Bagchi, *Le Canon Bouddhique en Chine*, I, p.9).

El *Sūtra Pa ta jen kiao*

El *Pa ta jen kiao king* es un *Sūtra* del Mahāyāna. Describe los conocimientos que poseen los *Budas* y *Bodhisattvas* con el objeto de inculcar en las personas que aspiran al perfeccionamiento espiritual los pensamientos que constantemente deben tener presentes en su mente, las normas que deben regir su conducta, las actitudes que deben asumir. Estos conocimientos son los principios rectores de una conducta moral. Uno debe actuar en forma adecuada, congruente con lo que esos conocimientos o principios expresan acerca de la realidad. Por ejemplo, el conocimiento, la conciencia de que todo es impermanente debe determinar la forma del comportamiento. Si uno realiza el ideal humano que el *Sūtra* propone, estará seguro de alcanzar la meta final, la Iluminación que libera del ciclo de las reencarnaciones y lo transforma a uno en un *Buda*.

Este *Sūtra* es muy apreciado en el mundo budista, como se ve por el gran número de ediciones que existen de él y de los comentarios a que ha dado lugar.

La concisión, la simplicidad, la claridad y la riqueza de las nociones a que se refiere el *Sūtra* y la nobleza de los valores morales que exalta explican el prestigio de que goza.

La presente traducción

La presente traducción la realizamos utilizando el texto de la edición *Taishō* (N° 779). El *Sūtra* fue objeto de un Seminario de Idioma Chino realizado en la *Fundación Instituto de Estudios Budistas* FIEB de Buenos Aires, en 1995, dirigido por los autores de esta traducción y al cual asistieron la Maestra Dzau Dzan, del Templo Budista Chino *Chong Kuan* de Buenos Aires y el Sr. Ricardo Chen. La primera redacción de esta traducción con notas fue editada por el mencionado templo y posteriormente incluida en una nueva versión en la *Revista de Estudios Budistas REB* N° 11, México-Buenos Aires, 1996, pp. 69-77. La traducción que ahora presentamos con la Introducción y las notas que la acompañan constituyen una versión corregida y aumentada de esas dos ediciones anteriores. Mencionemos finalmente que una traducción inglesa a partir de nuestra traducción española publicada en *REB* fue realizada por la Sra. Sara Boin-Webb y publicada en la *Buddhist Studies Review*, London, 1998.

Traducción

EL SŪTRA DE LOS OCHO CONOCIMIENTOS DE LOS GRANDES SERES

PREDICADO POR BUDA

El discípulo de *Buda* constantemente, de día y de noche, con devoción sincera, recita el *Sūtra* de *Los ocho conocimientos de los Grandes Seres*.

Primer conocimiento:

El mundo es impermanente.[1]

La tierra está llena de peligros

y expuesta a destrucción.[2]

Los Cuatro Grandes Elementos[3]

son causa de sufrimiento,[4]

son vacíos.[5]

Los Cinco Componentes del hombre[6]

son insustanciales,[7]

surgen, perecen, están en constante cambio,

son irreales, son dependientes.[8]

La mente es la fuente del mal,[9]

el cuerpo es sede de impurezas.[10]

Meditando, reflexionando así,

uno se libera gradualmente del *saṃsāra*.[11]

Segundo conocimiento:

Muchos deseos producen sufrimiento.

Los infinitos nacimientos y muertes

con el extenuante cansancio que producen

surgen del deseo y la pasión.[12]

Pocos deseos no producen sufrimiento -

uno es dueño de su cuerpo y de su mente.

Tercer conocimiento:

> La mente es insaciable,
>
> sólo desea conseguir siempre más
>
> haciendo proliferar las malas acciones.
>
> El *Bodhisattva* [13] no es así:
>
> él permanentemente está establecido
>
> en la completa satisfacción, [14]
>
> vive contento con poco,
>
> no se aparta del Camino, [15]
>
> sólo la Sabiduría [16] es su meta.

Cuarto conocimiento:

La desidia[17] degrada;

la constante práctica de la energía[18]

destruye el mal constituido por las impurezas,[19]

subyuga a los Cuatro Māras[20],

libera de la prisión de los *skandhas* y de los *dhātus.*[21]

Quinto conocimiento:

De la ignorancia[22] surge el *saṃsāra*,

por eso el *Bodhisattva*

constantemente medita,

estudia intensamente,

escuchando aprende mucho,[23]

incrementa su Sabiduría,

logra entonces el poder de la elocuencia,[24]

transformando a todos con su enseñanza[25] -

sólo con miras a la gran felicidad de los seres.[26]

Sexto conocimiento:

Las penurias de la pobreza

generan mucho odio,

sin que uno se dé cuenta

lo encadenan a malos destinos.

Por eso el *Bodhisattva* practica la donación (*dāna*),[27]

considerando por igual a amigos y enemigos,

no recordando las ofensas pasadas,

no detestando a los hombres malvados.

Séptimo conocimiento:

Los cinco deseos del placer sensual[28]

provocan excesos e infortunios.

Aún siendo un laico

no debe uno fijar su pensamiento

en la impura felicidad mundana,

sino tener presentes los tres mantos,[29]

la escudilla[30]

y los implementos permitidos por el Dharma,[31]

para que surja el firme propósito

de abandonar su casa

para llevar una vida errante y mendicante,[32]

siguiendo el Camino en forma pura,

practicando la vida religiosa[33] en modo excelso,

teniendo compasión para con todos los seres.[34]

Octavo conocimiento:

> El *saṃsāra* es un fuego que todo lo abrasa,
>
> produce sufrimientos y aflicciones sin límite;
>
> por eso haga uno surgir en sí
>
> la actitud mental propia del Mahāyāna[35]:
>
> en todas partes ayude a todos,
>
> haga el voto de padecer,
>
> en lugar de todos los seres,
>
> sus infinitos sufrimientos;[36]
>
> procure para todos los seres
>
> la perfecta Gran Felicidad.[37]

Así son los principios que fueron conocidos por los *Budas* y los *Bodhisattvas Mahāsattvas*.[38]

Con energía ellos practican el Camino;
cultivan en sus corazones la Compasión y la Sabiduría;[39]
navegan con el *Dharmakāya*[40] como Vehículo[41]
hasta alcanzar la orilla del *Nirvāṇa*.[42]

Ellos retornan de nuevo al *saṃsāra*[43]
para liberar a todos los seres;
mediante los ocho principios precedentes
guían hacia su Iluminación[44] a todos,
haciendo que todos los seres
tomen conciencia del sufrimiento
que es propio del *saṃsāra*,
haciendo que abandonen los cinco deseos
y haciendo que cultiven con todo corazón
el sagrado Camino.

Si el discípulo de *Buda* recita estos ocho principios
meditando constantemente en ellos,
destruirá los infinitos males,
avanzará rápidamente hacia la Iluminación,
progresará velozmente en el camino
hacia la Perfecta Iluminación,
eliminará definitivamente al *saṃsāra*[45]
y será para siempre feliz.

NOTAS

1   La *impermanencia* constituye para el Budismo la primera de las tres características esenciales (*trilakṣaṇa* en sánscrito) de todo lo existente.

2   El mundo participa de la impermanencia universal.

3   Los Cuatro Grandes Elementos (*Mahābhūta* en sánscrito) son: la tierra, el agua, el fuego y el aire. Ellos, combinándose entre sí, dan lugar al mundo material y al cuerpo.

4   El *sufrimiento* constituye la segunda de las características esenciales de todo.

5   Es decir: condicionados, insustanciales, carentes de ser propio. La Vaciedad de todo es un concepto esencial del Mahāyāna.

6   *Skandhas*, en sánscrito, son: la forma corporal o material, la percepción, la sensación, la volición y la conciencia.

7   Más allá de los *skandhas* no hay nada; no existe un alma por detrás de ellos o como sustrato de ellos. Para el Budismo todo es *insustancial*. La insustancialidad es la tercera característica esencial de todo lo existente.

8   Al ser insustanciales, al carecer de ser propio, los componentes del hombre y el mismo hombre sólo poseen una existencia aparente, irreal y efímera, dependiente de causas y condiciones.

9   El Budismo concedió siempre a la mente una participación preponderante en la vida del hombre, en su conducta y en la forjación de su destino.

10   Los textos budistas se refieren con frecuencia a las impurezas que alberga el cuerpo humano. La meditación sobre esas impurezas (*aśubha-bhāvanā* en sánscrito) es una práctica budista muy recomendada con el fin de provocar en uno el desapego por todo.

11   La expresión china literalmente significa: el nacimiento y la muerte (sucesivos). Es la noción de existencia (*saṃsāra*) entendida como nacimientos y muertes sucesivos; la existencia es para el budista infinita, no tiene comienzo en el tiempo y no tendrá fin a menos que uno siga el Camino salvífico preconizado por *Buda* y alcance la meta final.

12   El deseo es el origen del sufrimiento y del encadenamiento al ciclo de las incesantes reencarnaciones.

13   El *Bodhisattva*, el ser que aspira a la Iluminación, constituye el ideal del hombre sabio en el Budismo Mahāyāna: está lleno de compasión para con todos los seres y posterga su propia salvación hasta alcanzar la de todos ellos. Cultiva en sí las virtudes budistas más excelsas. Ver nota 5 del *Shālistambasūtra* en este libro.

14   La satisfacción (*saṃtuṣṭi* en sánscrito) es el estar contento con lo que uno tiene, hace, recibe, con lo que a uno le sucede; es el saber ver los aspectos positivos de la vida, y el aceptar con alegría su propio destino. Es una norma importante de la moral budista.

15   Es la Vía Salvífica que ofrece el Budismo y que fuera predicada por *Buda* en el siglo VI antes de Cristo.

16   Es la máxima Perfección, la *Prajñāpāramitā* o "Perfección del Conocimiento", a la que aspira el *Bodhisattva* en su Carrera de progreso espiritual, intelectual y moral, y la que le revela a su inteligencia la verdadera naturaleza de las cosas, que es la Vaciedad.

17   La desidia (*kausīdya* en sánscrito) es un defecto contrario a la energía, que constituye una de las Perfecciones (*Pāramitās*) que debe poseer el que aspira a ser un *Bodhisattva*. Ver nota siguiente.

18   La energía (*vīrya* en sánscrito) es la segunda de las Perfecciones. El Camino es difícil, arduo, hay que superar muchos obstáculos, vencer muchas dificultades; por eso es necesario el esfuerzo, el trabajo constante, la fuerza, que permitan llegar a la meta.

19   Las impurezas (*kleśa* en sánscrito) son fundamentalmente tres: la pasión (*rāga*), la aversión (*dveṣa*), y el error (*moha*).

20   Māra, el Maligno, es el Señor de la sensualidad y de la muerte. En época tardía se habla de Cuatro Māras que son personificaciones de diversos aspectos que asume el Maligno: el Māra blanco de los *skandhas* (componentes del hombre), el Māra rojo de los *kleshas* (impurezas), el Māra negro de la muerte, el Māra verde Devaputra, término éste que designa a divinidades secundarias, y también, en forma peyorativa, a los dioses del Hinduismo. Todas estas personificaciones son distintas formas del mal que es el dominio de Māra y constituyen obstáculos para la realización de la perfección moral.

21 Es decir: pone fin a la personalidad empírica constituida por los *skandhas* y los *dhātus*, y a las limitaciones por ella producidas, permitiendo así la liberación del ciclo de las reencarnaciones. *Dhātu* es un término colectivo: designa al conjunto constituido por cada uno de los seis órganos de los sentidos (ojo, nariz, oído, lengua, piel, mente), los seis objetos de esos seis órganos (la forma-color, el olor, el sonido, el sabor, lo tangible, las ideas, respectivamente) y los seis conocimientos o conciencias que se producen cuando el órgano entra en contacto con su objeto respectivo (visión o conocimiemto propio del ojo, olfato, audición, gusto, tacto, conocimiento de la mente): así el *dhātu*-ojo es el conjunto o tríada de: 1. el ojo, 2. la forma-color, y 3. la visión o conciencia-del-ojo. Como son 6 grupos de tríadas, se habla de 18 *dhātus*.

22 La ignorancia (*avidyā* en sánscrito) constituye para el Budismo el origen de todos los males.

23 La expresión china corresponde exactamente al término sánscrito *bahuśruta*, literalmente: "por quien mucho ha sido oído". El que aspira a ser un *Bodhisattva* aprende muchas cosas por transmisión oral. El término *bahuśruta* designa así a una persona poseedora de muchos conocimientos, a un sabio.

24 "El poder de la elocuencia" (*pratibhāna* en sánscrito) es uno de los poderes que alcanzan, debido a su perfeccionamiento espiritual, los *Budas* y los *Bodhisattvas*. Es sumamente importante, porque gracias a él, en la prédica de las verdades propias del Budismo, se logra convencer a los que las escuchan e inducirlos a seguir el Camino.

25   Es decir, hace ingresar a los seres en el Camino salvífico budista, haciendo surgir en ellos virtudes y cualidades que habrán de conducirlos a la perfección espiritual.

26   La felicidad, que el Budismo hace extensiva a todos los seres vivos, es mencionada en esta estrofa, en la octava y en la línea final del *Sūtra*, y constituye la gran aspiración del Budismo.

27   La donación (*dāna* en sánscrito) o generosidad o caridad o el dar, es la primera de las Perfecciones en la Carrera del *Bodhisattva*. Con el fin de aliviar el sufrimiento de la pobreza y evitar sus malas consecuencias, el *Bodhisattva*, lleno de compasión para con todos los seres, practica la "donación" sin hacer distingos de ninguna clase entre las personas que han de recibirla.

28   *Kāma*, en sánscrito, son los cinco deseos que se derivan del contacto de los órganos de los sentidos con sus correspondientes objetos.

29   Los tres mantos son las tres vestimentas que debe usar el monje budista.

30   La escudilla es una de las posesiones permitidas a los monjes, en ella reciben el alimento que les es dado como limosna.

31   Es decir los objetos o implementos o instrumentos o utensilios cuya posesión le está permitida al monje por la disciplina monacal, como medicina, lecho, asiento, etc.

32   El texto dice literalmente "abandonar la casa". Es una expresión, utilizada por el Budismo desde sus inicios, para indicar el abandono de la vida de familia para ingresar en la vida religiosa propia del monje.

33   *Brahmāchārya* en sánscrito: vida religiosa, vida de pureza, implica llevar una vida de continencia y castidad.

34   La Gran Compasión (*Mahākaruṇā* en sánscrito y en pāli) es una de las características esenciales del Budismo. Los *Budas* y *Bodhisattvas* encarnan esta virtud budista en su máxima expresión.

35   Compenetrada de *Compasión* para con todos los seres vivos y del ansia del *Conocimiento* de la verdadera naturaleza de las cosas - todo ello con miras a la Liberación.

36   El aspirante a *Bodhisattva* está dispuesto a asumir en sí el dolor y el sufrimiento de los otros como una manifestación más de su Gran Compasión, que lo impulsa a buscar la felicidad de los otros y a salvarlos incluso postergando su propia felicidad y salvación.

37   El *Nirvāṇa*.

38   *Mahāsattvas*, Grandes Seres, es un epíteto frecuente de los *Bodhisattvas*.

39   Compasión (*karuṇā* en sánscrito) y Sabiduría (*prajñā* en sánscrito) constituyen los dos grandes pilares del Budismo desde sus inicios hasta nuestros días.

40   En este pasaje lo entendemos como el "Cuerpo de la Doctrina". Es el *corpus* de las Escrituras Budistas, es decir la Doctrina Budista en sí misma o *Dharma*. En otros contextos el término sánscrito *dharmakāya* (que traducen los dos caracteres chinos) designa lo Absoluto.

41   El Budismo se consideró a sí mismo como un "Vehículo" (*yāna* en sánscrito) de salvación, que lleva de esta orilla (= el sufrimiento, la realidad empírica, las infinitas existencias) a la otra orilla (= el fin del sufrimiento, la felicidad, el Nirvāṇa, lo absolutamente otro y heterogéneo, la muerte final que implica el cese definitivo de las reencarnaciones). De ahí las denominaciones de *Mahāyāna, Śrāvakayāna, Pratyekabuddhayāna, Bodhisattvayāna, Buddhayāna*. La imagen de la barca, la balsa etc., o vehículos que transportan hacia la salvación es muy frecuente en los textos budistas.

42   Meta final del esfuerzo budista en toda su larga historia de ventiseis siglos. *Nirvāṇa* designa principalmente el fin de las reencarnaciones, el fin del sufrimiento.

43   El *Bodhisattva*, que ya puede ingresar al *Nirvāṇa* por los méritos que ha acumulado y por el grado de perfeccionamiento espiritual, intelectual y moral que ha alcanzado, prefiere postergar su propio *Nirvāṇa* en beneficio de los otros seres, por compasión por ellos, hasta haber obtenido con su prédica la Liberación de todos.

44   La Iluminación (*bodhi* en sánscrito) constituye el más alto grado del conocimiento, de la inteligencia, de la conciencia, y en ella se realiza la captación de la verdadera naturaleza de las cosas, la Vaciedad universal.

45   Literalmente: "cortará" la serie infinita de nacimientos y muertes sucesivos.

Bagchi, P.Ch., *Le Canon Bouddhique en Chine*, Paris: P. Geuthner, 1927.

Banerjee, A.Ch., *Studies in Chinese Buddhism*, Calcutta: Firma KLM, 1977.

Ch'en, K., *Buddhism in China*, Princeton: Princeton University Press, 1973.

Grousset, R., *L'Empire des steppes*, Paris: Payot, 1965.

Huart, Cl., *L'Iran Antique*, Paris: Albin Michel, 1952.

Nanjio Bunyiu, *A Catalogue of the Chinese translation of the Buddhist Tripitaka*, San Francisco: Chinese Materials Center, 1975.

Répertoire du Canon Bouddhique Sino-Japonais, compilé par P. Demiéville, H. Durt, A. Seidel, Paris: Adrien Maisonneuve, 1978.

The Taishō Shinshū Daizōkyō (The Tripiṭaka in Chinese), edited by J. Takakusu and K. Watanabe, Tokyo.

Tsukamoto, Z., *A History of Early Chinese Buddhism*, Tokyo-New York-San Francisco, 1985.

Zürcher, E., *The Buddhist Conquest of China*, Leiden: E.J. Brill, 1959.

SUKHĀVATĪVYŪHASŪTRA

EL SŪTRA DE LAS MARAVILLOSAS MANIFESTACIONES DE LA TIERRA DE FELICIDAD

traducido del original sánscrito
con Introducción y Notas

Introducción

El Buda Amitābha y la Tierra Pura,
Sukhāvatī, 'Perfecta o Suprema Felicidad'

El *Buda* llamado Amitābha (*Luz Infinita*) o Amitāyus (*Vida infinita*) en la tradición sánscrita, y Amitofo (*Buda Amita*) en la tradición china, es uno de los *Budas* más venerados en Taiwan y en el Japón. Son numerosísimos los devotos que le rinden culto. Existe un gran número de templos consagrados a Él. Constantemente se edita toda clase de publicaciones devotas destinadas a exaltar su poder, su bondad y benevolencia, y la ayuda, los beneficios y las gracias que se obtienen rindiéndole homenaje y culto, teniendo fe en Él y repitiendo su nombre. Constantemente se editan también los textos antiguos (*Sūtras*) que le están dedicados y los comentarios de Maestros antiguos y modernos que explican su sentido y sus méritos.

El *Buda* Amitābha reside en la Tierra Pura de la Perfecta o Suprema Felicidad (*Sukhāvatī* en sánscrito, *Ji le* en chino), ubicada en la Región del Oeste. Esta Tierra es un magnífico y extraordinario Paraíso en que reinan la pulcritud, la belleza, la espiritualidad, la felicidad. Las brillantes descripciones que los textos hacen de esa Tierra en exaltados términos expresan en forma simbólica las trascendentes cualidades que la adornan, y la existencia sobrenatural de que gozan aquellos seres que renacen en ella, liberándose de las desdichas e infortunios de la vida en el mundo Sahā o Tierra de Sufrimiento en que nos ha tocado nacer.

Amitābha con su inmenso poder puede lograr que todos los seres se salven y lleguen a renacer en la Tierra Pura, pero es necesario que se hagan merecedores de la gracia salvífica de Amitābha, rindiéndole culto, acumulando méritos morales, eliminando su mal *karman* acumulado en vidas anteriores, incrementando su buen *karman*, inspirando todos sus actos y sentimientos en la fe en Amitābha, haciendo el Voto de renacer en su Tierra Pura, y adecuando su conducta a ese fin.

El culto a Amitābha es la tendencia más marcada de la vía pietista o devocional budista.

Budismo de la Tierra Pura en India, China y Japón

El culto a Amitābha recibe por lo general el nombre de Budismo de la Tierra Pura.

Con toda probabilidad en los primeros siglos de la Era Cristiana ese culto era conocido en la India, aunque se tiene poca información al respecto.

Se conoce mucho más acerca del culto de Amitābha en China. El fundador del Budismo de la Tierra Pura habría sido el Maestro Hui-yüan (334-416 después de Cristo), al cual le siguieron los Maestros T'an-luan (476-542), Tao-ch'o (562-645), Hui-yüan (523-592) (que no debe ser confundido con el anteriormente nombrado), Chih-i (538-597), Chi-tsang (549-623), Chia-ts'ai (620-680), Shan-tao (613-681), Huai-kan (siglos VII-VIII), Hui-jih (680-748), Fa-chao (siglo VIII), quienes escribieron tratados y comentarios sobre Amitābha y su culto, y promovieron su difusión. El culto a Amitābha tuvo un sorprendente crecimiento durante los siglos VI y VII. Maestros de las otras escuelas budistas, como la T'ien-t'ai, la Hua-yen, la Ch'an (Zen en el Japón), también se ocuparon de Amitābha y de su culto.

Se puede decir que en el Japón el interés por el culto de Amitābha o de la Tierra Pura se despertó con la llegada del Budismo al Japón. El príncipe Shōtoku (574-621/622) trató de él en sus conferencias o sermones. Desués de él, una serie de monjes como Eon (mediados del siglo IX), Gyōgi (668-779), Chikō (*circa* 709-780), Saichō (766/767-822), Ennin (794-864), Kōya (903-972), Senkan (918-983), Ryōgen (912-985), Genshin (942-1017), Ryōnin (1072-1134), Shōkai (siglo XI), Kakuban (1095-1143), etc. se relacionaron con el culto de Amitābha en una forma u otra y lo promovieron en diversa manera y medida, aunque muchos de ellos pertenecían a otras escuelas del Budismo japonés. Pero fue Hōnen (1133-1212) el que en forma decisiva instaló el culto de Amitābha en Japón, al fundar la escuela Jōdo Shū (la Escuela de la Tierra Pura), dedicada en forma exclusiva al indicado culto. Entre los discípulos de Hōnen se cuentan Ryūkan (1148-1227), Shōkū (1177-1247), Kōsai (1163-1247), Benchō (1162-1238), Shinran (1173-1262). Shinran fundó la escuela Jōdo Shin Shū (la Escuela de la Verdadera Tierra Pura), que en su opinión era la que transmitía el verdadero pensamiento de su Maestro Hōnen. Shinran estableció la lista de los siete patriarcas de la escuela: Nāgārjuna y Vasubandhu en la India, T'an-luan, Tao-ch'o y Shan-tao en China, y Genshin y Hōnen en el Japón, considerando que fueron los que dieron las bases doctrinarias a la escuela.

Los textos de Pura la Tierra

Los textos canónicos de la Escuela son los tres *Sūtras* que indicamos a continuación. Fue Hōnen quien seleccionó esos tres *Sūtras* como textos básicos de la Escuela, en los cuales la doctrina de la Escuela estaba directamente explicada.

1. *Sukhāvatīvyūha* (extenso), conservado en sánscrito. Fue traducido doce veces al chino, pero sólo se han conservado cinco de esas traducciones, realizadas por diversos traductores (*Taishō* 360, 361, 362, 363 y 364). En las traducciones chinas el *Sūtra* recibió diversos nombres, de los cuales el más conocido es "*Sūtra* de la Vida Infinita" (*Taishō* 363);

2. *El Sūtra de la Contemplación del Buda Vida Infinita*, no conservado en sánscrito. Fue traducido dos veces al chino, pero sólo se conserva una de esas traducciones, realizada por Kalayashas (*Taishō* 365);

3. *Sukhāvatīvyūha* (corto), conservado en sánscrito. Fue traducido tres veces al chino. Se conservan dos de las traducciones: una realizada por Kumārajīva (alrededor del 402 d.C.) (*Taishō* 366) y la otra, por Hsüan Tsang (en el 650 d.C.) (*Taishō* 367). La traducción de Kumārajīva fue adoptada como texto canónico básico por los maestros de la Escuela de la Tierra Pura, tanto en China como en Japón.

Síntesis del contenido del Sukhāvatīvyūha corto

Buda se encontraba en la ciudad de Shrāvastī en el noreste de la India con 1250 monjes y numerosos *Bodhisattvas*. En esa ocasión, dirigiéndose a la Asamblea presidida por Shāriputra, predicó este *Sūtra* expresando que existe en la región occidental del Universo una Tierra (o Mundo) de *Buda* llamada 'Suprema Felicidad' donde reside el *Buda* Amitābha-Amitāyus. Es una Tierra llena de maravillas; los que nacen ahí gozan de la más profunda felicidad, no están ya expuestos a retroceder en el camino del progreso espiritual que han realizado y están seguros de alcanzar la Suprema Perfecta Iluminación. Para renacer en esa Tierra de Felicidad es necesario rendir culto al *Buda* Amitābha, repetir sin cesar su nombre y hacer el Voto de renacer en su Tierra Pura. Innumerables *Budas* en las diez regiones del espacio incitan a los seres a tener fe en este *Sūtra* y a recibir así la protección de los *Budas*. El *Sūtra* termina con una alabanza a Shākyamuni, que alcanzó la condición de *Buda* en el Mundo Sahā, la Tierra en que vivimos sometida al sufrimiento y a las impurezas.

El presente trabajo

La traducción del presente *Sūtra* ha sido realizada a partir del texto sánscrito original, contenido en *Anécdota Oxoniensia, Texts, Documents and Extracts chiefly from Manuscripts in the Bodleian and other Oxford Libraries, Aryan Series, Vol. I - Part I, Buddhist Texts from Japan*, edited by F. Max Müller, Oxford: at the Clarendon Press, 1881. P.L. Vaidya reprodujo el texto editado por F. Max Müller en *Mahāyāna-Sūtra-Saṃgraha, Part I*, Dharbanga: The Mithila Institute, 1961.

Traducción

EL SŪTRA DE LA TIERRA DE FELICIDAD DE LAS MARAVILLOSAS MANIFESTACIONES

Homenaje al Omnisciente

Introducción

1. He aquí lo que yo he oído decir. En cierta ocasión el *Bhagavant*[1] se encontraba en la ciudad de Shrāvastī, en el Bosque del Príncipe Jeta, en el Parque de Anāthapiṇḍada, con un gran grupo de monjes, con mil doscientos cincuenta monjes, Ancianos[2] renombrados por su conocimiento, Grandes Discípulos[3], todos ellos *Arhants*[4], a saber: los Ancianos Shāriputra, Mahāmaudgalyāyana, Mahākāshyapa, Mahākapphiṇa, Mahākātyāyana, Mahākaushṭhila, Revata, Shuddhipanthaka, Nanda, Ānanda, Rāhula, Gavāṃpati, Bharadvāja, Kālodayin, Vakkula, Aniruddha, con estos y otros numerosos Grandes Discípulos, también con numerosos *Bodhisattvas*[5] *Mahāsattvas*,[6] a saber: el joven Mañjushrī[7], el *Bodhisattva* Ajita[8], el *Bodhisattva* Gandhahastin[9], el *Bodhisattva* Nityodyukta[10] y el *Bodhisattva* Anikshiptadhura[11], con estos y otros numerosos *Bodhisattvas Mahāsattvas*; y con Shakra[12], el rey de los Dioses, y con Brahmā[13] Sahāṃpati[14], con estos y otros numerosos centenares de miles de millones de Dioses.

2. En esa ocasión el *Bhagavant* le dijo al Venerable Shāriputra[15]: "Oh Shāriputra, existe en la región del Oeste, atravesando desde aquí centenares de miles de millones de Mundos de *Buda*[16], un Mundo de *Buda*, el Universo llamado Sukhāvatī[17], 'Tierra de Felicidad'. Ahí el *Tathāgata*[18] llamado Amitāyus, 'Vida Infinita', *Arhant*, Perfectamente Iluminado se encuentra, permanece y vive, y predica el *Dharma.*[19] ¿Tú qué piensas, Shāriputra? ¿Por qué razón aquel Universo es llamado Sukhāvatī, 'Tierra de Felicidad'? Porque, oh Shāriputra, ahí en el Universo Sukhāvatī, 'Tierra de Felicidad' no existe para los seres sufrimiento del cuerpo ni sufrimiento de la mente; sólo existen innumerables motivos de felicidad. Por esta razón este Universo es llamado Sukhāvatī, 'Tierra de Felicidad'.

3. Además, oh Shāriputra, el Universo Sukhāvatī, 'Tierra de Felicidad', está adornado, por doquier rodeado - multicolor y hermoso - por siete barandales, por siete hileras de palmeras y por redes de campanillas, hechos de cuatro materiales preciosos, a saber: oro, plata, lapislázuli, cristal de roca. Oh Shāriputra, con tales maravillosas manifestaciones de cualidades propias de los Mundos de *Buda* está adornado este Mundo de *Buda*.

4. Además, oh Shāriputra, en el Universo Sukhāvatī, 'Tierra de Felicidad', existen estanques de lotos hechos de materiales preciosos, a saber: de oro, plata, lapislázuli, cristal de roca, perlas rojas, esmeraldas y, como séptimo material precioso, zafiro, llenos de agua dotada de las ocho buenas cualidades,[20] que llega hasta sus bordes, y por eso mismo bebible por un cuervo, con su fondo cubierto de arenas de oro. Y en aquellos estanques de lotos, en todos ellos, en las cuatro direcciones del espacio hay cuatro escalinatas multicolores, hermosas, de cuatro materiales preciosos,

a saber: de oro, plata, lapislázuli, cristal de roca. Y por todas partes alrededor de aquellos estanques de lotos crecen árboles celestiales,[21] multicolores, hermosos, de los siete materiales preciosos, a saber: de oro, plata, laislázuli, cristal de roca, perlas rojas, esmeraldas y, como séptimo material precioso, zafiro. Y en aquellos estanques de lotos crecen lotos azules, de color azul, de reflejos azules, de destellos azules; amarillos, de color amarillo, de reflejos amarillos, de destellos amarillos; rojos, de color rojo, de reflejos rojos, de destellos rojos; blancos, de color blanco, de reflejos blancos, de destellos blancos; multicolores, de variados colores, de variados reflejos, de variados destellos; de una circunsferencia del tamaño de una rueda de carro. Oh Shāriputra, con tales maravillosas manifestaciones de cualidades propias de los Mundos de *Buda* está adornado este Mundo de *Buda*.

5. Además, oh Shāriputra, en aquel Mundo de *Buda* constatemente se tocan instrumentos musicales divinos, y de color del oro es la vasta tierra hermosa. Y en aquel Mundo de *Buda* tres veces en la noche, tres veces en el día, cae una lluvia de flores, de divinas flores māndāravas. Y aquellos seres que nacen en él, después de su única comida matinal, rinden homenaje a centenares de miles de millones de *Budas* yendo a otros universos. Y habiendo recubierto a cada *Tathāgata* con una lluvia de centenares de miles de millones de flores, de nuevo retornan a este universo para el descanso diurno. Oh Shāriputra, con tales maravillosas manifestaciones de cualidades propias de los Mundos de *Buda* está adornado este Mundo de *Buda*.

6. Además, oh Shāriputra, en aquel Mundo de *Buda* hay cisnes, zorzales, pavorreales.[22] Ellos, congregándose tres veces en la noche, tres veces en el día, entonan cánticos, y emiten cada uno sus propios cantos; mientras ellos los emiten se escuchan los nombres de las Facultades,[23] de los Poderes[24] y de los Factores de la Iluminación.[25] Y cuando los hombres

que están ahí escuchan esos nombres, fijan su mente en *Buda*, fijan su mente en el *Dharma*, fijan su mente en el *Sangha*.[26] ¿Tú qué piensas, Shāriputra? ¿Esos seres son animales? No hay que considerar así. Y esto ¿por qué razón? Porque en ese Mundo de *Buda*, oh Shāriputra, ni siquiera existe el nombre de infiernos ni el de animales ni el del Mundo de Yama.[27] Y esas multitudes de pájaros, sobrenaturalmente creados por el *Tathāgata* Amitāyus, 'Vida Infinita', dejan escuchar el nombre del *Dharma*. Oh Shāriputra, con tales maravillosas manifestaciones de cualidades propias de los Mundos de *Buda* está adornado este Mundo de *Buda*.

7. Además, oh Shāriputra, en aquel mundo de *Buda* de aquellas hileras de palmeras y de aquellas redes de campanillas movidas por el viento sale un sonido placentero y agradable. Así como, oh Shāriputra, un sonido placentero y agradable sale de un conjunto de centenares de miles de millones de instrumentos musicales divinos tocados por hábiles músicos, de la misma manera, oh Shāriputra, de aquellas hileras de palmeras y de aquellas redes de campanillas movidas por el viento sale un sonido placentero y agradable. Y cuando los hombres que están ahí escuchan ese sonido, queda incorporada en ellos la conciencia de *Buda*, la conciencia del *Dharma*, la conciencia del *Sangha*.[28] Oh Shāriputra, con tales maravillosas manifestaciones de cualidades propias de los Mundos de *Buda* está adornado este Mundo de *Buda*.

El nombre 'Amitāyus'

8. ¿Tú qué piensas, Shāriputra? ¿Por qué razón, oh Shāriputra, aquel *Tathāgata* es llamado con el nombre de Amitāyus, 'Vida Infinita'? Oh Shāriputra, la duración de la vida de aquel *Tathāgata* y de aquellos hombres es infinita. Por esta razón aquel *Tathāgata* es llamado con el nombre de Amitāyus, 'Vida Infinita'. Han transcurrido, oh Shāriputra, diez

Períodos Cósmicos [29] desde que aquel *Tathāgata* alcanzó la Suprema Perfecta Iluminación.

El nombre ´Amitābha´

9. ¿Tú que piensas, Shāriputra? ¿Por qué razón aquel *Tathāgata* es llamado con el nombre de Amitābha, 'Luz Infinita'? Oh Shāriputra, la luz de aquel *Tathāgata* se difunde sin encontrar obstáculo en todos los Mundos de *Buda*. Por esta razón aquel *Tathāgata* es llamado con el nombre de Amitābha, 'Luz Infinita'.[30]

Seres que habitan en el Mundo de Buda de Amitāyus

Y, oh Shāriputra, la comunidad de Discípulos de aquel *Tathāgata* es innumerable; no es fácil señalar el número de ellos que son *Arhants* de vida pura. Oh Shāriputra, con tales maravillosas manifestaciones de cualidades propias de los Mundos de *Buda* está adornado este Mundo de *Buda*.

10. Además, oh Shāriputra, aquellos seres que han nacido en el Mundo de *Buda* del *Tathāgata* Amitāyus como *Bodhisattvas* de vida pura, no expuestos a decaer,[31] encadenados a un solo nacimiento[32] – de esos *Bodhisattvas*, oh Shāriputra, no es fácil señalar el número; lo único que se puede decir con relación a su número es "son innumerables" "son incontables".

La firme resolución (pranidhāna)
de renacer en el Mundo de Buda de Amitāyus.
El culto a Amitāyus. Sus efectos.

Oh Shāriputra, los seres han de tomar la firme resolución de renacer en aquel Mundo de *Buda*. Oh Shāriputra, los seres no renacen en el Mundo de *Buda* del *Tathāgata* Amitāyus, en que conviven con hombres buenos de tal naturaleza, con una raíz meritoria de escasa medida.[33]

Oh Shāriputra, cualquier hijo de familia o hija de familia que escuche el nombre de aquel *Bhagavant*, el *Tathāgata* Amitāyus, y, habiéndolo escuchado fije su mente en él, fije su mente en él sin dispersarse durante una noche o dos noches o tres noches o cuatro noches o cinco noches o seis noches o siete noches - cuando a aquel hijo de familia o hija de familia le llegue el momento de su muerte, ante él que está muriendo se presentará el *Tathāgata* Amitāyus rodeado de su comunidad de Discípulos, venerado por multitud de *Bodhisattvas*. Y él morirá con su mente libre de errores. Y él, habiendo muerto, renacerá en el Mundo de *Buda* de aquel *Tathāgata* Amitāyus, el Universo Sukhāvatī, 'Tierra de Felicidad'. Entones por esta razón Yo, oh Shāriputra, viendo este resultado digo así: "Con respeto, el hijo de familia o la hija de familia ha de tomar en su mente la firme resolución de renacer en aquel Mundo de *Buda*".

Los Budas de la región del Este
elogian también la 'Tierra de Felicidad'

11. Así como Yo ahora, oh Shāriputra, lo elogio a él,[34] de la misma manera, oh Shāriputra, en la región del Este, precedidos por el *Tathāgata* llamado Akshobhya,[35] el *Tathāgata* llamado Merudhvaja,[36] el *Tathāgata* llamado Mahāmeru,[37] el *Tathāgata* llamado Meruprabhāsa,[38] el *Tathāgata* llamado Mañjudhvaja,[39] oh Shāriputra, los *Budas Bhagavants* en la región del Este, numerosos como las arenas del Ganges, cubriendo con sus voces[40] cada uno su propio Mundo de *Buda*, hacen esta misma exposición diciendo: "Confiad vosotros en esta Exposición de la Doctrina llamada 'El Elogio de las Inimaginables Cualidades, Patrimonio de todos los *Budas*'".[41]

Los Budas de la región del Sur
elogian también la 'Tierra de Felicidad'

12. De la misma manera, en la región del Sur, precedidos por el *Tathāgata* llamado Chandrasūryapradīpa,[42] el *Tathāgata* llamado Yashaḥprabha,[43] el *Tathāgata* llamado Mahārchiskandha,[44] el *Tathāgata* llamado Merupradīpa,[45] el *Tathāgata* llamado Anantavīrya,[46] oh Shāriputra, los *Budas Bhagavants* en la región del Sur, numerosos como las arenas del Ganges, cubriendo con sus voces cada uno su propio Mundo de *Buda*, hacen esta misma exposición diciendo: "Confiad vosotros en esta Exposición de la Doctrina llamada 'El Elogio de las Inimaginables Cualidades, Patrimonio de todos los *Budas*'".

Los Budas de la región del Oeste
elogian también la 'Tierra de Felicidad'

13. De la misma manera, en la región del Oeste, precedidos por el *Tathāgata* llamado Amitāyus,[47] el *Tathāgata* llamado Amitaskandha,[48] el *Tathāgata* llamado Amitadhvaja,[49] el *Tathāgata* llamado Mahāprabha,[50] el *Tathāgata* llamado Mahāratnaketu,[51] el *Tathāgata* llamado Shuddharashmiprabha,[52] oh Shāriputra, los *Budas Bhagavants* en la región del Oeste, numerosos como las arenas del Ganges, cubriendo con sus voces cada uno su propio Mundo de *Buda*, hacen esta misma exposición diciendo: "Confiad vosotros en esta Exposición de la Doctrina llamada 'El Elogio de las Inimaginables Cualidades, Patrimonio de todos los *Budas*'".

Los Budas de la región del Norte
elogian también la 'Tierra de Felicidad'

14. De la misma manera, en la región del Norte, precedidos por el *Tathāgata* llamado Mahārchiskandha,[53] el *Tathāgata* llamado Vaishvānaranirghosha,[54] el *Tathāgata* llamado Dundubhisvaranirghosha,[55] el *Tathāgata* llamado Dushpradharsha,[56] el *Tathāgata* llamado Ādityasambhava,[57] el *Tathāgata* llamado Jaleniprabha,[58] el *Tathāgata*

llamado Prabhākara,[59] oh Shāriputra, los *Budas Bhagavants* en la región del Norte, numerosos como las arenas del Ganges, cubriendo con sus voces cada uno su propio Mundo de *Buda*, hacen esta misma exposición diciendo: "Confiad vosotros en esta Exposición de la Doctrina llamada ´El Elogio de las Inimaginables Cualidades, Patrimonio de todos los *Budas´*".

Los Budas de la región del Nadir
elogian también la ´Tierra de Felicidad´

15. De la misma manera, en la región del Nadir, precedidos por el *Tathāgata* llamado Simha,[60] el *Tathāgata* llamado Yashas,[61] el *Tathāgata* llamado Yashahprabhāsa,[62] el *Tathāgata* llamado *Dharma*,[63] el *Tathāgata* llamado Dharmadhāra,[64] el *Tathāgata* llamado Dharmadhvaja,[65] oh Shāriputra, los *Budas Bhagavants* en la región del Nadir, numerosos como las arenas del Ganges, cubriendo con sus voces cada uno su propio Mundo de *Buda*, hacen esta misma exposición diciendo: "Confiad vosotros en esta Exposición de la Doctrina llamada ´El Elogio de las Inimaginables Cualidades, Patrimonio de todos los *Budas´*".

Los Budas de la región del Zenit
elogian también la ´Tierra de Felicidad´

16. De la misma manera, en la región del Zenit, precedidos por el *Tathāgata* llamado Brahmaghosha,[66] el *Tathāgata* llamado Nakshatrarāja,[67] el *Tathāgata* llamado Indraketudhvajarāja,[68] el *Tathāgata* llamado Gandhottama,[69] el *Tathāgata* llamado Gandhaprabhāsa,[70] el *Tathāgata* llamado Mahārchiskandha,[71] el *Tathāgata* llamado Ratnakusumasampushpitagātra,[72] el *Tathāgata* llamado Sālendrarāja,[73] el Tathagata llamado Ratnotpalashrī,[74] el *Tathāgata* llamado Sarvārthadarsha,[75] el *Tathāgata* llamado Sumerukalpa,[74] oh Shāriputra, los *Budas Bhagavants* en la región del Zenit, numerosos como las arenas del Ganges, cubriendo con sus voces cada uno su propio Mundo de *Buda*, hacen esta misma exposición diciendo: "Confiad vosotros en esta

Exposición de la Doctrina llamada 'El Elogio de las Inimaginables Cualidades, Patrimonio de todos los *Budas*'".

El nombre de la presente Exposición de la Doctrina

17. ¿Tú qué piensas, Shāriputra? ¿Por qué razón esta Exposición de la Doctrina es llamada con el nombre 'Patrimonio de todos los *Budas*'? Cualquier hijo de familia o hija de familia, oh Shāriputra, que escuche el nombre de esta Exposición de la Doctrina, que conserve en su memoria el nombre de aquellos *Budas Bhagavants*, serán todos ellos tomados a su cargo por los *Budas*, y ya no estarán expuestos a retroceder en su búsqueda de la Suprema Perfecta Iluminación. Por esta razón entonces, oh Shāriputra, tened fe, confiad, no dudéis ni de mí ni de aquellos *Budas Bhagavants*. Cualquier hijo de familia o hija de familia que tome en su mente la firme resolución de renacer en el Mundo de *Buda* de aquel *Bhagavant*, el *Tathāgata* Amitāyus, la haya tomado o la esté tomando, todos ellos ya no estarán expuestos a retroceder en su búsqueda de la Suprema Perfecta Iluminación. Y en aquel Mundo de *Buda* renacerán o han renacido o están renaciendo. Por esta razón entonces, oh Shāriputra, los hijos de familia o hijas de familia han de hacer surgir en su mente la firme resolución de renacer en aquel Mundo de *Buda*.

Los Budas elogian a Shākyamuni

18. Así como Yo ahora, oh Shāriputra, elogio las inimaginables cualidades de aquellos *Budas*, de la misma manera, oh Shāriputra, aquellos *Budas Bhagavants* elogian las igualmente inimaginables cualidades también de mí.

Dificultad de lo llevado a cabo por Buda Shākyamuni

Algo muy difícil de hacer ha sido hecho por el *Bhagavant* Shākyamuni, Soberano de los Shākya:[77] que habiendo alcanzado en el Universo Sahā[78] la Suprema Perfecta Iluminación, haya enseñado una Doctrina que es rechazada por todo el mundo,[79] dándose la degradación del Período Cósmico, dándose la degradación de los seres, dándose la degradación de las falsas doctrinas, dándose la degradación de la vida, dándose la degradación de las impurezas.[80]

19. Incluso para mí, oh Shāriputra, ha sido algo sumamente difícil de hacer que yo, habiendo alcanzado en el Universo Sahā la Suprema Perfecta Iluminación, haya enseñado una Doctrina que es rechazada por todo el mundo, dándose la degradación de los seres, dándose la degradación de las falsas doctrinas, dándose la degradación de las impurezas, dándose la degradación de la vida, dándose la degradación del Período Cósmico.

Conclusión

20. Así habló el *Bhagavant*. Y, complacido el Venerable Shāriputra, y también los *Bhikshus* y los *Bodhisattvas* y el mundo junto con sus Dioses, sus hombres, sus *Asuras*,[81] sus *Gandharvas*[82] se regocijaron con lo dicho por el *Bhagavant*.

NOTAS

1   Epíteto más frecuente de *Buda*, puede ser traducido por "Señor".

2   Designación de los discípulos de *Buda* de las primeras épocas, que se distinguieron por su conocimiento, por su experiencia, por su progreso espiritual.

3   Otra manera de referirse a los primeros discípulos de *Buda* Shākyamuni. Los primeros que recibieron u "oyeron" la Enseñanza de Shākyamuni fueron llamados *Shrāvakas*, palabra sánscrita que literalmente significa "oyente".

4   Término con que el Budismo de la primera época designa al ideal del sabio budista. Los *Arhants* son los seres que han alcanzado el máximo desarrollo espiritual en el contexto del Budismo Hīnayāna. Diferencia esencial entre el *Arhant* y el *Bodhisattva*, ideal de perfección en el Budismo Mahāyāna, es que el *Arhant* tiene como meta de su esfuerzo su propia liberación y alcanzar lo más pronto posible el ingreso en el *Nirvāṇa*, mientras que el *Bodhisattva*, por su gran compasión, pospone su propia liberación e ingreso en el *Nirvāṇa* hasta que los demás seres se hayan liberado.

5   Seres que aspiran a la Iluminación. Constituyen el ideal del sabio en el Budismo Mahāyāna. Ver nota 5 del *Sūtra del Shālistamba* en este mismo libro.

6   Epíteto frecuente de los *Bodhisattvas* que significa "grandes seres".

7   "Hermoso Esplendor".

8   "No vencido".

9   "Elefante perfumado".

10   "Siempre lleno de Energía".

11   "Que no rechaza la carga".

12   Indra, el Dios más importante del panteón védico. El Budismo no rechaza a los Dioses del Brahmanismo pero los asigna un estatus secundario.

13   Dios creador del Brahmanismo.

14   "Señor del Mundo Sahā", en que *Buda* renació para liberar a los seres.

15   Discípulo importante de *Buda* Shākyamuni.

16   Cada *Buda* posee un mundo esplendoroso en donde predica la Doctrina.

17   En el Budismo Mahāyāna el Mundo de *Buda* llamado Sukhāvatī es la "Tierra Pura" o Paraíso Occidental, descrito como un lugar donde los seres que a él llegan están libres de sufrimientos y miserias, disfrutando de una perfecta felicidad. Pero el término "Tierra Pura" puede aplicarse por extensión a los otros Mundos de *Buda*.

18   Otro epíteto frecuente de los *Budas*. Literalmente significa el "Así-ido".

19   La Doctrina propia de los *Budas*.

20   El agua de estos estanques posee ocho cualidades perfectas. El agua es: 1. pura y límpida, 2. refrescante, 3. dulce al paladar, 4. suave, 5. nutritiva, 6. serena, 7. satisface el hambre y la sed, 8. saludable para el cuerpo y para la mente.

21   Son árboles que nacen en los Mundos de los *Budas* y están hechos de materiales preciosos.

22   Traducciones aproximadas de los nombres de pájaros en sánscrito que aparecen en el texto.

23   Fe, energía, atención, concentración, sabiduría.

24   Nacen de las Facultades y llevan los mismos nombres que ellas. Cuando una Facultad ha sido profundizada, fortalecida, afirmada, se convierte en un Poder.

25   Atención, examen de la Doctrina, energía, alegría, serenidad, concentración mental, ecuanimidad. Son cualidades necesarias para alcanzar la Iluminación.

26   La Comunidad budista en su integridad, constituida por monjes y laicos.

27   Mundo de los muertos donde reina Yama, el Soberano de la Muerte.

28   Es decir "el ser consciente de" el *Buda*, el *Dharma* y el *Saṅgha*, la concentración lúcida en ellos.

29   "Período Cósmico" corresponde al sánscrito *kalpa*.

30   *Amitāyus*, en sánscrito es un compuesto de *amitā°* (infinito) y °*āyus* (vida, duración de la vida).*Amitābha* es un compuesto de *amitā°* (infinito) y °*ābha* (resplandor, luz).

31   Es decir que ya no pueden retroceder en el camino del progreso espiritual cuya meta es la Suprema Perfecta Iluminación.

32   Es decir ya no han de renacer más.

33   Los actos moralmente buenos que han realizado antes constituyen sus "raíces meritorias". Para renacer en el Mundo de Amitāyus el hombre debe reunir muchos méritos.

34   Es decir: al Mundo de *Buda* Sukhāvatī.

35   "Imperturbable".

36   "Estandarte del Monte Meru".

37   "Gran Monte Meru".

38   "Resplandor del Monte Meru".

39   "Hermoso Estandarte".

40   El término sánscrito utilizado: *jihvā*, significa tanto "lengua" como "discurso, lenguaje". Los *Budas* al predicar cubren todos los universos con su palabra y difunden así el *Dharma* en todas las direcciones del espacio.

41   Esta frase final es un título alternativo de este Sūtra. El término *parigraha* del original, que hemos traducido por "patrimonio", puede ser entendido también como "protección".

42   "Resplandor del Sol y de la Luna".

43   "Luz de Gloria".

44   "Cuerpo de Gran Fulgor".

45   "Luz del Monte Meru".

46   "Energía Infinita".

47   "Vida Infinita".

48   "Cuerpo Infinito".

49   " Estandarte Infinito".

50   "Gran Luz".

51   "Gran Brillo de Joyas".

52   "Rayo de Luz Puro".

53   "Cuerpo de Gran Fulgor".

54   "Sonido Universal".

55   "Sonido del retumbar del Tambor".

56   "Intangible".

57   "Nacido del Sol".

58   El sentido de este nombre es difícil de establecer.

59   "Hacedor de Luz".

60   "León".

61   "Gloria".

62   "Resplandor de Gloria".

63   "Doctrina".

64   "Mantenedor de la Doctrina".

65   "Estandarte de la Doctrina".

66   "Voz Divina".

67   "Rey de las Constelaciones".

68   "Rey de los Estandartes y Banderas de Indra".

69   "Suprema Fragancia".

70   "Luz de Fragancia".

71   "Cuerpo de Gran Fulgor".

72   "Cuerpo florecido con Flores de Piedras preciosas".

73   "Rey de los Árboles Sāla".

74   "Esplendor del Loto de Piedras Preciosas".

75   "Que percibe todos los Significados".

76   "Semejante al Monte Sumeru".

77   Nombre del clan de *Buda* Shākymuni.

78   *Sahā*: es una palabra sánscrita que significa "tierra". Es el nombre del Universo o Sistema de Mundos impuro en que vivimos.

79   Referencia a las dificultades con que tropezó el Mahāyāna para difundirse.

80   La degradación del Período Cósmico es producto de las otras cuatro degradaciones y entraña la decadencia y deterioro del mismo; la degradación constituida por las falsas teorías o puntos de vista desvía de la verdadera Doctrina predicada por *Buda*; la degradación de las impurezas está constituida por el incremento del deseo, del odio, del error, del orgullo, de la duda, etc.; la degradación de los seres consiste en el incremento del sufrimiento y en la disminución de la felicidad e implica la imposibilidad de poner fin al *saṃsāra*; la degradación de la duración de la vida significa la disminución del período de vida de los seres.

81   Seres sobrenaturales, originariamente enemigos de los Dioses.

82   Músicos celestiales.

BIBLIOGRAFÍA

Cleary, J.C., (traductor), *The Buddhism of Masters Chu-hung and Tsung-pen*, New York-San Francisco-Toronto: Sutra Translation Committee of the United States and Canada, 1994. Traducción de textos de ambos maestros, que pertenecen al siglo XVI.

Foard, J., Solomon, M. and Payne, R.K. (editores), *The Pure Land Tradition, History and Development*, Berekeley: Berkeley Buddhist Studies Series, 1996. Colección de artículos por diversos autores sobre el Budismo de la Tierra Pura en la India, China y Japón.

Gómez, L.O., *The Land of Bliss. The Paradise of the Buddha of measureless Light. Sanskrit and Chinese versions of the Sukhāvatīvyūha Sūtras. Introduction and English Translations,* Honolulu: University of Hawai'i Press and Kyoto: Higashi Honganji Shinshū Ōtani, 1996. Con muy buena bibliografía.

Inagaki, Hisao, *The Three Pure Land Sutras. A Study and Translation from Chinese*, Kyoto: Nagata Bunshodo, 1994.

Max Müller, F., traducción del *Sukhāvatī-sūtra* en *Buddhist Mahāyāna Texts*, Delhi: Motilal Banarsidass (Sacred Books of the East Series), 1979.

Takakusu, Jinjirō, *The Essentials of Buddhist Philosophy,* Delhi: Motilal Banarsidass, 1975.

Tola, F. y Dragonetti, C., "El significado de los números infinitos en el *Sūtra del Loto*", en *Revista de Estudios Budistas* N° 5, abril 1993, pp.67-82

Tola, F. y Dragonetti, C., "Los nombres de *Bhikshus* y *Bodhisattvas* en el *Sūtra del Loto*", en *Revista de Estudios Budistas* N° 10, octubre 1995, pp.41-85.

Williams, P., *Mahāyāna Buddhism. The Doctrinal Foundations*, London and New York: Routledge, 1991.

ÍNDICE

LOS AUTORES

La Dra. Carmen Dragonetti (1937) es Investigadora Superior del *Consejo Nacional de Investigaciones Científicas y Técnicas* (CONICET) y Presidenta de la *Fundación Instituto de Estudios Budistas* (FIEB), ambos de Argentina. Ha sido Profesora en la *Universidad Nacional Mayor de San Marcos* (Lima, Perú) y en la *Universidad de Buenos Aires* (Argentina). Desde hace muchos años está dedicada a los estudios indológicos, en especial al Budismo. Ha publicado un gran número de artículos así como de libros, en español y en inglés. Entre sus libros se cuentan: *Dhammapada* (cinco ediciones), *Udāna* (cuatro ediciones), *Dīgha Nikāya* (13 *sūttas*) y *Antigua Poesía Budista* que presentan las primeras traducciones de textos budistas pālis al español acompañadas de estudios.

En colaboración con el Dr. Fernando Tola ha publicado un buen número de libros, que indicamos a continuación: *Yoga y Mística en la India, Filosofía y Literatura de la India, Budismo Mahāyana, El Idealismo Budista, Nihilismo Budista, El Sūtra del Loto, El Sūtra de los Infinitos Significados, Paṇḍita Ashoka: Avayavinirākaraṇa, On Voidness, The Yogasūtras of Patañjali. On Concentration of Mind, Nāgārjuna's Refutation of Logic: Vaidalyaprakaraṇa.* Estos libros contienen traducciones de textos sánscritos, chinos y tibetanos al español, y estudios.

El Dr. Fernando Tola (1915) ha sido Investigador Superior del *Consejo Nacional de Investigaciones Científicas y Técnicas* (CONICET) y es Vicepresidente de la *Fundación Instituto de Estudios Budistas* (FIEB), ambos de Argentina. Ha sido Profesor en la *Universidad Nacional Mayor de San Marcos* (Lima, Perú) y en la *Universidad de Buenos Aires* (Argentina). Su especialidad desde hace muchos años es la Indología, en especial el Budismo. Ha escrito un gran número de artículos y libros, en español e inglés. Entre los libros señalemos: *Himnos del Rig Veda*, *Himnos del Atharva Veda*, *Bhagavad Gītā*, *Consejos de la Celestina*, *Gīta Govinda*, que contienen traducciones del sánscrito con estudios, además de los libros publicados en colaboración con la Dra. Dragonetti ya indicados.